韓国学ハンマダン

한 국 학 한 마 당

韓国学ハンマダン

緒方義広
古橋 綾
（編）

青木義幸
上山由里香
植田喜兵成智
相川拓也
佐々紘子
朝比奈祐揮
友岡有希
徐台教
曺美樹

岩 波 書 店

はじめに

2022年5月、韓国では5年ぶりの保守政権が誕生した。日韓関係がかつてないほど悪化していると言われる中で、進歩派に代わり保守派が政権を執ったことで日韓関係の改善を期待する雰囲気がある。しかし、相互に影響を与え合うはずの国際関係において、その悪化要因を前政権が進歩派であったことだけに求める分析がそもそも妥当なのだろうか。日韓関係の悪化が議論される時、あたかも韓国社会が日本を敵視しているかのように語られることにも違和感を覚えざるを得ない。

さまざまな形で韓国との関わりをもっている私たちは、日本で語られている現状分析があまりにも一面的にすぎるのではないかと感じてきた。K-POPや韓国ドラマなどを例に挙げるまでもなく、日本における韓国や朝鮮半島への関心はかつてと比べものにならないほど増している。むしろ、日韓間の交流は近年ますます増加していると言っていいだろう。つまり、日韓関係の悪化という言葉では、政治や外交関係以外の分野における現在の日韓関係をまったく説明できない。

日本で韓国の社会や文化について知ろうとすると、たくさんの情報に接することができる。しかし、それらの断片的な情報をつなぎ合わせることは、韓国社会の成り立ちに対する理解がなければなかなか難しい。近年の韓国社会において最も重要なイシューのひとつであるジェンダー葛藤の問題や、日韓関係において常に懸案として取り上げられる歴史認識をめぐる問題など、韓国社会がそうした問題をなぜこれほどまで重要なものとして捉え、こだわるのか、日本では十分に理解されていない。日本の「常識」とはかけ離れているように感じられる韓国社会の様相は、一部の無責任なメディアや「専門家」によって「異常」、「反日」などと安易に解説されることがしばしばだ。

韓国をフィールドとし研究活動を行う若手研究者のグループである私たちは、そうした韓国理解の現状に一石を投じる必要があるのではないかと考えてきた。

しかし、韓国社会を理解するために日本語で読める書籍は、極めて基本的な入門書か、そうでなければ難易度の高い学術書がほとんどである。韓国・朝鮮の文化や韓国語(朝鮮語)に触れ、韓国社会に対する漠然とした関心をもった時、その次のステップへと進むための書籍が必要なのではないか。本書は、韓国への関心をもう一歩進め、世間一般に流布する安易な韓国理解に疑問をもつきっかけを提供したいと企画されたものだ。本書のタイトルにある「ハンマダン(한마당)」とは、祭りや宴が繰り広げられる「場」を意味する言葉である。日本では、韓国・朝鮮に関心のある人たちの間で長く親しまれてきた古い言葉だ。本書が、新しい韓国学の交流を生む「ハンマダン」を提供できればとの思いを込めた。

本書の執筆陣は、2014年から韓国ソウルで行ってきた自主研究会(在韓日本語圏研究者韓国学研究会)を通じ、ともに交流してきたメンバーである。専攻は社会学、政治学、歴史学、文学、言語学、経済学とそれぞれ異なるが、全員が10〜20代で韓国社会と出会い、その後10年以上(長いメンバーは25年!)韓国と関わりをもちながら、激動の韓国を間近で目撃してきた。2021年3月に本書の出版を企画し始めてから、私たちは幾度にもわたり執筆会議と議論を重ね、現在の日本社会に広がる安易な韓国理解の誤謬はどこから生まれているのかを掘り下げ、考えてきた。本書に収められた各論考は韓国への疑問にひとつひとつ正面から答えるようなものではないかもしれないが、私たちにできることとして、韓国生活を通じ体得したそれぞれの視点、各々の専門分野から見える韓国理解の方法を示すことに意味があるのではないかと考えている。

本書の構成は以下の通りである。第Ⅰ部「つながる記憶といま」では、重要な過去の出来事とその記憶を掘り下げ、それらと現在の韓国社会とのつながりを示した。第1章「死者の記憶と韓国民主化運動」(青木)は、1980年代に非業の死を遂げた大学生の語りを通じ民主化運動の記憶を捉え直すことで、過去を想起するという営みの現在性を浮かび上がらせる。第2章「国家による包摂と疎外」(緒方)は、在日コリアンの韓国における法的地位を検討し、国家の問題がそのはざまに生きる個人の人生にいかなる影響を与えるのかを示している。第3章「日本軍「慰安婦」問題をめぐる日韓の溝」(古橋)は、韓国社会が「慰安婦」問題をどのように受け止めてきたか、1990年代からの変遷を考察している。それぞれ、韓国について学ぼうとする時によく耳にする事柄でありながら、メディアの報道などではあまり扱われない視点から考えることで、過去からいまにつながる韓国社会のあり方について、より深く知るきっかけになればと思う。

第II部「歴史からいまを考える」では、現在の私たちが歴史的な事柄をどのように捉えているのかを検討し、そのことからいまの日韓関係を逆照射することを提案する。第4章「韓国史教科書の歴史」(上山)は、1945年以降に使用された高校の韓国史教科書を通して、韓国の歴史教育を追体験する。第5章「古代史像と朝鮮観」(植田)は、新羅をはじめとした古代朝鮮の王朝が、中国や日本の王朝に対して行ってきた外交に注目しながら、日本本位な古代史像への批判的な捉え直しを促している。第6章「韓国文学研究という営み」(相川)は、植民地期を代表する小説である玄鎮健(ヒョンジンゴン)の「故郷」を題材に、当時の「朝鮮語」で書かれた小説を日本語で受け止め、研究することの意味を思考する。三者三様のそれぞれ異なった角度から提示される問題提起は、いまを生きる私たちに、過去と私たちの関係を思考するための視座を与えてくれる。

第III部「韓国社会のいまを生きる」では、働くことと楽しむことという人間の生活に必要な営みを、日本と韓国で生きる人々の肉声を込めて紹介する。第7章「「翻訳」から遠く離れて」(佐々)は、K-POPファンダムが彼らの言葉を獲得していく過程を「制度化された翻訳」から逸脱する言語行動の可視化と捉えて分析している。第8章「格差」(朝比奈)は、ミレニアル世代2人へのインタビューをもとに韓国社会における不平等の形を描き出す。厳しい現実の中を自分らしく生き抜こうとする2人の姿は、日本の若者たちとも重なる。第9章「働くことから考えるオルタナティブ経済」(友岡)は、経済的な不安の中、「雇ってもらう」ことに汲々としないことを選択した人たちの働き方を紹介する。あるコミュニティにおける人と人とのつながりから見出せる様相は、日韓という国境を越えた共通の課題や問題解決のアイディアを提供してくれる。

また、以上に紹介した本文の構成を固めていた頃、韓国では大統領選挙が行われ、前述のように政権交代が起きた。それにより、韓国社会はさらに大きな変化に直面することが予想された。そこで急遽、さらなる変化を迎えるであろう大統領選後の韓国社会について２つのコラムを補章として掲載することにした。「韓国社会の発展を妨げる南北分断」(徐台教)は、大韓民国と朝鮮民主主義人民共和国という２つの「国家」の対立が韓国の政治及び社会に与え続けている根深い影響を、「「嫌悪の政治」が見えなくしているもの」(曺美樹)は、韓国の大統領選のさなか、ミソジニー(女性嫌悪)や外国人ヘイトがイシューとなり続けたことを紹介している。今後の韓国社会の変化を考えていく手掛かりにしてもらえたらと思う。

各論考の末尾には「リーディングリスト」を付し、それぞれのテーマに関連した基本情報を確認できる文献とともに、理解をさらに深めるために参考となる情報を加えた。また本書は、韓国社会に関心をもつ一般の読者とともに、韓国研究の道に進もうとする初学者が手にとってくれることも想定し、各執筆者によるコラムの中で、私たちが韓国・朝鮮研究とどのように関わってきたのかを語っている。あわせて参考にしてもらえれば幸いである。そのほか、いまの韓国社会を知るためにどうしても触れておきたいテーマ、あるいは補足しておくことが適当であろうと思われる事項について、「keyword」コラムを設けた。

なお、本書は専門性をある程度求めつつも広く一般の方々に手に取ってもらえることを目指し、読みやすさ分かりやすさを優先し執筆した。そのため、本来学術書であれば必要となる引用文献や参考文献の記載、注釈などは省略したり最低限にとどめてあることをご了承願いたい。

本書を上梓するにあたり、まず、自主研究会のメンバーに、特に本書の執筆に携わらなかったメンバーにも感謝を伝えたい。私たちのほとんどは2000年代から2010年代にかけて韓国で大学院生活・研究員生活を送ってきた。環境の違いからくる生活のストレスを現地文化への不満として解消してしまう衝動に駆られることもあり得る。しかし、私たちはそのような態度とは一線を画し、韓国社会への疑問を研究者として客観的かつ冷静に共有し、より深く知ろうという態度で議論し合うことを目指した。ソウルのど真ん中に、日本語で研究発表をし韓国語も交えながら議論をする安心できる空間を作れたことは、とても有意義なことであった。執筆者の間にそのような信頼関係があったからこそ、本書を刊行することができた。これからも、専門分野や方法論、関心の方向は違えど、同じ時間と空間、そして同じ苦労を共有した仲間として、切磋琢磨していければと思う。

そして、本書の企画案をもち込んだ際、好意的な評価をくださり、このように世に送り出すまで導いてくださった岩波書店の堀由貴子さんと田中朋子さんにお礼を申し上げなければならない。まだ実績の積み重ねも不十分な若手研究者たちの原稿を引き受け、分野もまちまちのそれらを形にしてくださったことに心より感謝申し上げる。

本書が、読者の皆さんの考えを深めるきっかけになれば、私たち執筆者にとってこのうえない幸せである。

2022年11月

執筆者を代表して　緒方義広・古橋 綾

- 「韓国」という語は文脈により、国家としての大韓民国を意味する場合と、朝鮮半島における軍事境界線の以南地域、あるいは当該地域の社会を意味する場合がある。
- 国家としての朝鮮民主主義人民共和国については、その略称として、日本社会で広く使われる「北朝鮮」との表現を用いている。
- 「朝鮮人」「朝鮮語」という語はそれぞれ、朝鮮半島にルーツをもつ民族とその人々が使う言語を指すものとして用いている。
- 「韓国人」「韓国語」という語はそれぞれ、朝鮮半島における軍事境界線の以南地域にルーツをもつ人々、あるいは韓国国民とその人々が使う言語を指すものとして用いている。
- 〔　〕は筆者注を示す。

目　次

第III部　韓国社会のいまを生きる

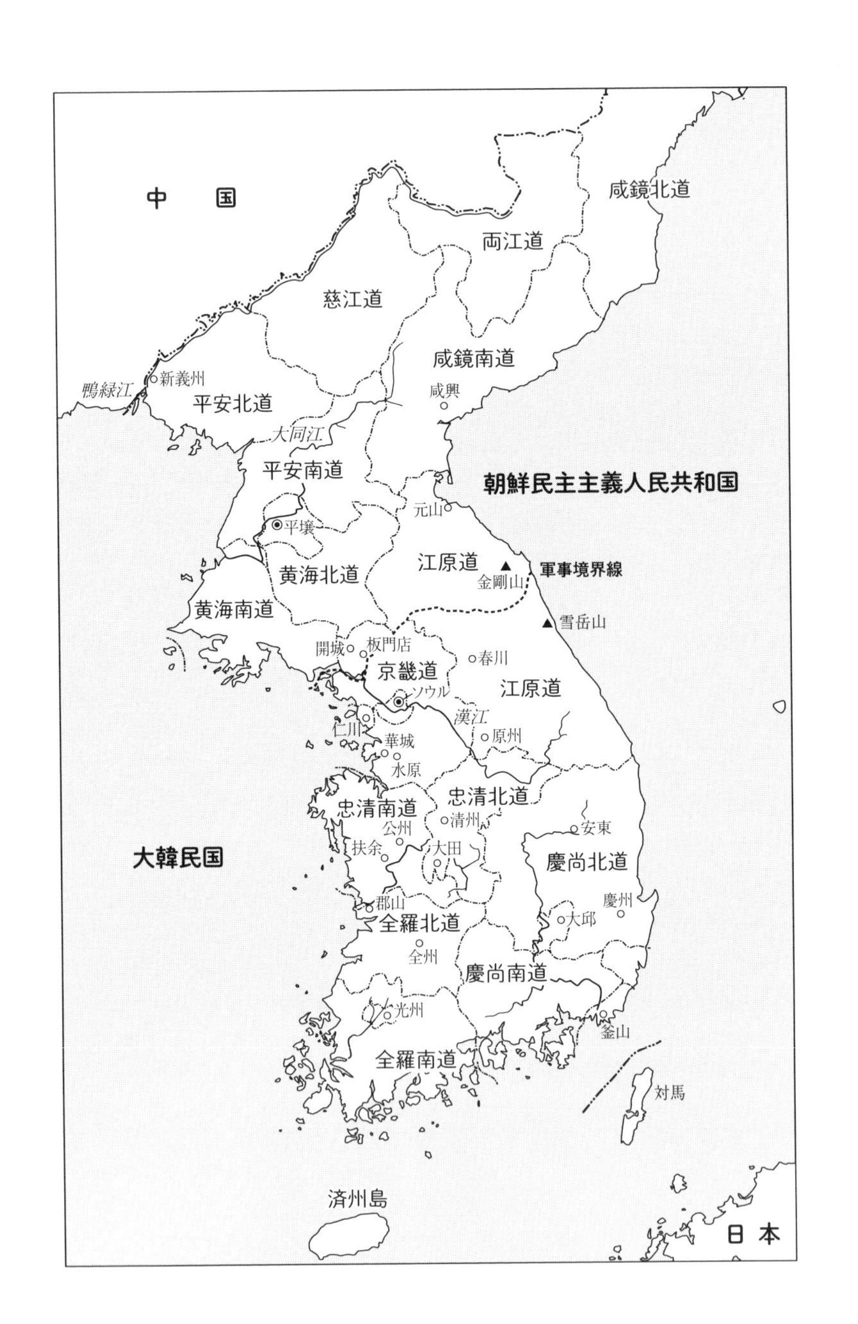
中　国
咸鏡北道
両江道
慈江道
咸鏡南道
鴨緑江
新義州
平安北道
咸興
大同江
平安南道
朝鮮民主主義人民共和国
元山
平壌
江原道
軍事境界線
黄海北道
金剛山
黄海南道
雪岳山
開城
板門店
春川
京畿道
江原道
ソウル
漢江
仁川
原州
華城
水原
忠清北道
忠清南道
清州
安東
公州
扶余
大田
慶尚北道
大韓民国
慶州
郡山
大邱
全羅北道
全州
慶尚南道
光州
釜山
全羅南道
対馬
済州島
日　本

第 1 部

つながる記憶といま

1　死者の記憶と韓国民主化運動

青木義幸

1　犠牲の記憶

現在の韓国社会は、民主的な社会だ。言論の自由はもちろん、選挙を通じた政権交代があり、子連れの家族や多くの若者が自由に街頭集会やデモに参加することができる。いまや韓国社会の日常となっている民主主義は、大学生、工場労働者、農民といったあらゆる市民が民主化運動の隊列に加わった 1987 年の 6 月抗争が勝ち取ったものである(**keyword ❶** 参照)。そのため、1987 年の民主化は「運動による民主化」とも表現される。

しかし、「運動による民主化」は、運動の過程で傷つき倒れていった多くの犠牲の上に築かれたものだった。民主化運動を象徴する死者として朴鍾哲(パクジョンチョル)と李韓烈(イハンニョル)という大学生の名前を韓国映画『1987、ある闘いの真実』(2017 年)を通じて知っている人もいるだろう。映画で描かれているように、2 人は拷問と催涙弾という国家暴力の犠牲者であった。他にも、空挺部隊に命を奪われた光州(クァンジュ)市民(**keyword ❶** 参照)、デモに加わり命を落とした学生たち、スローガンを叫びながら抗議の自殺を遂げた人々など、韓国の民主化には無数の犠牲が伴っていた。

韓国社会は民主化運動に関連して命を落とした人々を慰霊祭や記念事業を通じて記憶し続けている。犠牲者を思い起こし記憶し続けることは、二度と同じ悲劇を繰り返させない、そして何があろうと民主主義を手放さないことを死者に対して誓うことを意味している。つまり、民主化運動に伴った犠牲は現代韓国の民主主義の礎として記憶され、現在を生きる韓国の人々に民主主義の価値を想起させる重要な社会的役割を担っているのだ。

民主主義の価値を想起させる存在として民主化運動の犠牲者が記憶されている現状は、死者を弔うことすら阻まれてきた人々による長く苦しい闘いの結果である。生き残った人々は、虐殺された光州市民や闘いの中で自死を選択した活動家を、民主化の闘士もしくは運動の象徴として記憶すべく闘ってきたのだ。すなわち、運動に伴った犠牲を民主化の象徴とみなす記憶は、死者の記憶をめぐる闘争の過程で社会的に構築されたものだと言えよう。

しかし、戦後の日本において「慰安婦」の存在が社会的に認知されていたにもかかわらず公的な記憶から忘却されていたように、記憶の構築には特定の価値観に基づいた過去の取捨選択が伴っている(慰安婦については本書第3章参照)。韓国の民主化運動についても、特定の過去が忘却されてきたことが研究者たちによって指摘されてきた。例えば、男性的にふるまうことを暗に求められていた女性活動家が感じていた違和感や革命という理念について悩む若者の姿は、民主化運動に対する消極性を示すものとみなされ忘れ去られてきた。

これらの指摘は韓国社会に民主化運動に関する「記憶の社会的枠組み」が存在しており、運動の正当性や連続性を象徴する死者や出来事が記憶される一方で、運動内部の分裂や活動家の葛藤が忘却されてきたことを示している。つまり、あるべき民主化運動の姿のみを想起させる記憶の社会的枠組みによって、民主化運動の記憶は「特定の記憶だけで再構成され、そこに存在していた小さきものは忘れ去られることを強要」されている状況にあると言えよう(金元(キムウォン)『忘れられたものたちの記憶』イメジン、2011年)。

本章は死者の言葉を通じて民主化運動の記憶を捉え直そうとするものである。具体的には民主化運動に関与して自死した若者であっても、積極的に想起される死者と想起されにくい死者がいることを論じていく。1980年代に自死した学生が残した言葉に寄り添ってみると、そこからは闘士としての姿だけでなく、家族関係や運動について悩む普通の若者の姿が浮かび上がってくる。しかし、悩める若者の姿は民主化運動の記憶から忘れ去られてきた。本章は、その理由が韓国社会において無意識のうちに前提となっている死者を英雄とみなす記憶の枠組みにあると解釈するものである。

遺書や手記は民主化運動記念事業会(以下、記念事業会)と民族民主烈士・犠牲者追慕(記念)団体連帯会議(以下、連帯会議)のデータベースに掲載されているものを用いており、80年代に関する学生たちの語りには、筆者が2018年に実施したインタビュー調査の結果を用いている。

2　烈士としての死者

民主化運動に関わり命を落とした犠牲者は「烈士」とも呼ばれる。解放後の韓国では、烈士は植民地期の抗日運動において自らの命を犠牲にした人々を意味していた。しかし、1980年代以降になると、その犠牲は抵抗や闘争を象徴するものとされ、「運動の過程で自ら命を絶った人々や権力によって死を強要された人々」を指す言葉へと変化していく（千政煥『崇拝　哀悼　敵対』ソヘムンチプ、2021年）。殺害された烈士としては朴鍾哲や李韓烈が、自死した烈士としては、劣悪な労働環境に抗議して1970年に焼身自殺を遂げた全泰壱が広く知られている存在であろう。

しかし、烈士と烈士ではない死者を区分するのは容易ではない。なぜなら、運動への関与の程度や死に至るプロセスはさまざまであり、これらをどのように判断するかによって烈士の範囲は変化しうるためである。烈士の範囲が定まっていないことは、2022年4月4日現在、国家機関の記念事業会が449人の烈士を記録している一方、市民団体の連帯会議は616人を烈士としていることからも見て取れる。烈士の記憶継承を目的とした2つの団体が異なる判断を下しているのである。

烈士の選定基準は公表されていないが、連帯会議の集計が記念事業会の集計を上回っている理由は、連帯会議が烈士をより広く捉えているからである。連帯会議の記録にのみ登場する烈士を見てみると、活動を終え帰宅中に事故死した大学生、病死した元民主化運動活動家、さらには抗議の自殺が未遂に終わり後に後遺症で死亡した労働者などが含まれている。すなわち、連帯会議は、運動に関与した経歴をもつあらゆる死者を烈士とみなそうとしているのだ。

公的機関の記念事業会によって烈士とみなされていない死者がいるという事実は、先に挙げた全泰壱、朴鍾哲、李韓烈のように闘いの象徴として積極的に記憶される烈士がいる一方で、公的な記憶から排除された「記憶されない烈士」がいることを示している。本章で取り上げる5人の大学生は、現在では全員が記念事業会と連帯会議によって烈士とみなされている。そのため、厳密な意味において「記憶されない烈士」ではない。しかし、彼ら／彼女らの記憶のされ方には濃淡がある。烈士の名が掲げられた社団法人（金宜基記念事業会）が設立されている場合もあれば、かつての同志たちによってデジタル記念館(金世鎮・李載虎記憶貯蔵所)が運営されている烈士もいる。その一方で、慰霊碑だけがひっそりと残されている烈士(李東洙、朴恵貞)がいるのだ。この濃淡は、金宜基、金世鎮、李載虎の存在が韓国社会が想起しようとする誇るべき民主化運動の記憶に合致するとみなされた一方で、李東洙や朴恵貞の死には民主化運動の記憶にとって好ましくない何かが含まれていることの表れだと言えよう。

3　1980年代の烈士

烈士について細かい分類を試みた研究によれば、光州抗争の犠牲者を除いた1980年代の烈士のうち他殺死(暴行・拷問致死・催涙弾による死)は12人である一方、自死を遂げた烈士は49人にのぼっている(林美里『烈士、怒りと悲しみの政治学』オウォルエポム、2017年)。さらに、80年代に自死を選択した烈士は、大学生を中心とした20代の若者が多数(約4分の3)を占めていた。言わば、1980年代に烈士としてみなされた死者の多くは自死した若者だったのである。

80年代の烈士たちの自死にはさまざまなケースがあるが、自死した場所でみると、大きく2つに分類できる。一つは、人々が見守る公的空間での自死である。公的空間での自死は、支配権力の非道徳性を明らかにする政治的行為であるとともに、大義に向けた最高の犠牲として意味づけられ、80年代の民主化運動陣営に烈士を英雄化する認識枠組みをもたらす源泉であった。そのため、80年代に公的空間で自死したほとんどの烈士は、民主化運動の記憶に取り込まれるかのように、多くの烈士が祀られている公的な墓地に眠っている。

公の場での自死のうち、80年代に最も多くの烈士を生み出したのが焼身だった。焼身は全身が火に包まれ、重度の火傷に苦しみながら死に至る凄惨な自殺方法である。しかし、80年代の韓国において焼身は「変化を求める激しい熱望にもかかわらず、支配権力の圧倒的な暴力によってこれを実現する手段を持つことができない場合、弱者が最大限の道徳的な力を発揮することができる最も熾烈な武器」だと考えられていた(崔章集『韓国民主主義の理論』ハンギルサ、1993年)。特定の戦術が繰り返し選択される現象を、人々が闘争を通じて身につけた「文化的創造物」だと論じるチャールズ・ティリーの議論に当てはめるならば、自らの身体を犠牲にすることで人々に運動の正当性を訴えかけるという戦術は、80年代の韓国において、闘いの文化として存在していたと言えるだろう。

もう一つのカテゴリーは、外界と遮断された私的空間での自死である。死の直前の姿が人々に目撃される公的空間での自死とは異なり、私的空間で自死した烈士は孤独の中で死を迎えた人々であったため、民主化という大義と関係のない個別の自殺と認識されることがあった。その一例が、本章の最後に取り上げる朴恵貞の投身(1986年5月21日)である。現在では記念事業会、連帯会議ともに朴恵貞を烈士とみなしているが、1986年当時、朴恵貞を烈士と呼ぶべきかについて学生たちの間で議論が起こり、暗黙の了解として烈士と呼ぶべきではないという結論に至ったという。また、キリスト教系の青年会が1986年6月1日に開催した烈士追悼礼拝において朴恵貞は言及すらされなかった。これらは、朴恵貞が烈士と烈士ではない死者の境界で揺れ動く存在であったことを示しているだけでなく、彼女の残した言葉に英雄としての烈士とは異なる姿が描かれていたことを暗示している。

4　光州抗争がもたらした自死

韓国民主化運動は1980年に大きな変化を迎える。そのきっかけとなったのは、事実上の独裁者であった朴正熙（パクチョンヒ）が1979年10月26日に側近によって暗殺された事件であった。朴正熙の死によって、韓国の政治社会には権力の空白が生じる。この状況を利用する形で、学生運動を中心とした民主化運動陣営は活発に運動を展開し、1980年5月15日には15万人もの大学生がソウル駅前に集結するほどに民主化に向けた気運は高まっていた。ところが、この権力の空白を掌握したのは、民主化運動陣営ではなく、全斗煥（チョンドゥファン）を中心とした「新軍部」と呼ばれる軍部であった。この軍部が、1980年の5月18日から27日にかけて続いた光州抗争(**keyword ❶** 参照)を武力で鎮圧し、無数の光州市民の命を奪ったのである。

光州抗争に対する鎮圧は凄惨を極めた。鉄芯の入った鎮圧棒を用いた殴打や銃剣による刺殺、さらには集団発砲といった暴力により死者が発生し続けたのである。国防部の調査(2007年)では166名の死亡が確認されているものの、この調査には5月27日以降に鎮圧の後遺症で死亡した人々や軍による死体遺棄により死亡が確認されていない犠牲者が含まれていないため、現在においても犠牲者の総数は明らかになっていない。このような惨劇を目の当たりにした光州市民にとって、光州抗争に対する鎮圧は国家権力による虐殺に他ならなかった。しかし、軍部は光州抗争を一部のスパイや不純分子による「暴動」であったと公表する。この公式見解は、統制下に置かれた報道メディアを通じて国民に浸透していく。1980年には高校生だったA(83年大学入学／女性)はのちに学生運動に関わるようになるが、軍の公式見解をそのまま受け入れていたことを次のように語ってくれた。

> 光州抗争に関する記憶は、テレビで言われていたとおり、武装暴徒が都市を占領して無秩序を生み出し、暴動を起こしたと考えていました。それで、当時の日記にも放送されていたそのままを書いていました。暴徒が光州で暴動を起こしている、早く無秩序がなくなればいいのにという具合に。
> (Aインタビュー、2018年3月9日、於城南市)

光州抗争を暴動とみなす軍の発表が真実であるかのように喧伝される状況は、ある青年を死へと追い込む。名は金宜基(22歳)。西江大学に通いながら農民運動に取り組む学生だった。5月19日に開かれる予定であった農民闘争の記念式典に参加するために光州を訪れていた金宜基は、光州の虐殺を偶然目撃する。そのため、当初は市民軍に加わり光州市民と共に闘おうと考えていたが、式典に同席していた童話作家の尹基鉉の説得を受け、光州の真実をソウルの人々に伝えるべく、5月24日に鎮圧部隊の一時退却の隙をついて光州を抜け出す。そして、光州の全羅南道庁での最後の抗争が鎮圧されてから3日後の1980年5月30日に、ソウル市内の基督教会館6階から、当日作成した声明文とともに身を投げたのである。その声明文は、光州虐殺の真実を伝えようとする意志、そして繰り返される「同胞よ、いま何をしているのか？」という表現を通じて人々に闘争を呼びかけようとする確固たる目的意識で溢れていた。

> 血ぬられた狂った軍靴の音が、静寂の中で眠りにつこうとする私たちの居間にまで入り込み、私たちの胸と頭をすり潰そうとしている今、同胞よ、

何をしているのか？　同胞よ、私たちは今何をしているのか？　見えない恐怖が私たちを押さえ付け、私たちの呼吸を遮り、私たちの目と耳を塞ぎ、私たちを光った銃刀による威嚇によって言いなりになる奴隷に貶めようとしている今、同胞よ、何をしているのか？　同胞よ、私たちは今何をしているのか？　無惨な殺戮によって数多くの善良な民主市民の熱く滾った血が熱い5月の空の下に散ることになった南道の蜂起が維新〔1972年に成立した朴正熙の政治権力が絶対化された政治体制(維新体制)〕残党の悪辣な言論弾圧によって歪曲され、偽りと悪意で満ち溢れた虚偽宣伝で彩られているのを目の前にして、同胞よ、私たちは今何をしているのか？〔中略〕同胞よ、立ち上がれ！　最後の一人まで立ち上がれ！　私たちの力を集結させた闘いは歴史の正しい方向に向けられている。私たちは勝利する。必ず勝利するのだ。同胞よ、立ち上がって維新残党の最後の息の根を止めるべく決定的な鉄槌を下すのだ。立ち上がれ！　立ち上がれ！　立ち上がろう、同胞よ！（引用者訳）

声明文に自らの死を意識した表現が使われていないため、金宜基の投身は計画的なものではなく、突発的な事故であった可能性がある。しかし、金宜基は烈士として記憶されてきた。それは、80年代の民主化運動にとって、光州虐殺の真相究明が運動の一つの重要な軸であったことと無関係ではないだろう。声明文に目を通せば、彼が厳しい言論統制の中で光州の真実を伝えようとしていたことは誰の目にも明白であった。光州の人々を思い命を落とした金宜基は、民主化運動の一つの象徴である光州抗争と強い関連性をもつがゆえに烈士として記憶されてきたのである。

5　焼身する烈士たち

1986年の春は1980年とはまったく異なる空気に包まれていた。光州で起こった事実は海外メディアの報道映像や目撃者の証言を通じて民主化運動陣営に伝えられ、さらには虐殺が可能となった背後に米国の承認があったとする認識が広く共有されるようになっていた。米国に対する懐疑的な視線は光州抗争が民主化運動陣営にもたらした大きな変化の一つであった。1986年は、朝鮮戦争を経験した韓国社会においてタブーとされてきた反米主義を旗印とした学生運動組織が本格的に活動し始めた年でもあったのである。そのような状況の中、1986年の4月末からわずか1カ月の間に、4人のソウル大学の学生が続けざまに命を落としていく。

始まりは、金世鎮(21歳)、李載虎(21歳)による焼身だった。1986年4月28日午前9時、新林洞(シンリム)(ソウル大学最寄りの繁華街)の一画で徴兵を米軍の傭兵になることとみなした学生たちによる座り込みが行われていた。このデモのリーダーであった2人は、拡声器を手に建物3階屋上から400人ほどの学生に向かって「ヤンキーの傭兵教育、前方入所〔必修科目として大学1年生に課されていた6日間の軍事訓練〕絶対反対」とスローガンを叫んでいた。鎮圧部隊は即座にデモを囲い込み、2人を捕えるべくビルに突入していく。彼らは、屋上の片隅に追い込まれると、手にしていたシンナーをかぶり、ライターを手に「デモ隊を攻撃するな。我々に近づくな。近づいたら火をつける」と叫びながら鎮圧部隊を遠ざけようとしていた。しかし、鎮圧部隊が構わず制圧しようとするや、彼らは「ヤンキーゴーホーム」と叫びながら自分たちに火を放つ。

金世鎮と李載虎の自死は鎮圧部隊に追い込まれて突発的に起こったものであったため、金宜基と同じく遺書は残されていない。しかし、金世鎮はデモのリーダーとして逮捕されることを見越して、両親に宛てて手紙を残していた。意図せずして最後の言葉となった手紙からは、彼が反米というスローガンを唱える闘士であると同時に、自らが運動に関与することで両親が感じるであろう失望に頭を悩ませる普通の若者だったことが読み取れる。

> お父さん、お母さん。ご心配をお掛けして本当に申し訳ありません。どうか許して下さい。今日こそ、私の本当の気持ちをお伝えしようと思います。これまで、お二人に対して取ってきた態度は私の本心ではありません。私の思いを聞いたお二人が態度で示すであろう反対と妨害が気にかかりあえて伝えず、意味もなく神経質な態度を取ってきました。
>
> 大学に入ってから私は人間と世界について悩んできました。目の前で獣をあつかうように引き摺られていく先輩や同僚を見ながら、私は我々の歴史と社会について悩み、夜を明かしていました。そして、ついに分かった

のです。この国の貧しさの元凶、辛く苦しい分断の張本人、自由を圧殺している原因は、今まさにこの国を抑圧し、自国の対ソ連軍事基地とするだけでなく、新たな植民地にしようとしている外国勢力とその代理統治勢力に当たる軍部であるということを。私の大学生活は人間の解放と民衆の解放、そして民族の解放に向けた終わることのない苦悩の過程であり、それを勝ち取るための闘争の過程だったのです。(引用者訳)

金世鎮と李載虎の死から約1カ月後の5月20日、ソウル大学園芸学科の李東洙(24歳)が焼身する。同日、ソウル大学では光州抗争の犠牲者を追悼する五月祭が開かれていた。その行事として文益煥(ムンイックァン)牧師による光州抗争に関する講演に多くの聴衆が聞き入っていた最中に、「全斗煥を処罰せよ」「暴力警察は引き下がれ」「米帝国主義を追い出せ」といった叫び声とともに火の塊が学生会館の屋上から落下してきたのである。

李東洙には、軍部を批判するビラを配布し、警察の取り調べを受けた経歴があったものの、彼の抗議活動はあくまでも個人的なものであり、学生運動との繋がりは全く無かったとみられている。また、李東洙は家族に宛てた言葉を一切残さず、大学で共に時間を過ごした同じ学科の友人だけに遺書を残した。これは、大企業の役員を務める父親と彼の間に、彼の信念を巡る確執があったからかもしれない。彼の遺書は、軍部や米国に対する怒りを叫び焼身した人物とは思えない静かな言葉で、友人たちに語りかけていた。

皆さんと過ごした2カ月という歳月は私の25年という人生の1ページを彩りあるものにしてくれた時間でした。何もしてあげられず、また一緒に悩むこともせずに、塵のように消えていくことをどうか許してほしい。この申し訳ない気持ちを繰り返し反芻しながら、皆が一生懸命に、そして真実で曇りのない人生を送れるよう、遠くから見守ろうと思います。

自分の苦しみよりも他者の痛みを第一に思いやることができ、その痛みを分かち合えるだけでなく、より大きな痛みに気付くことができる人間最高のホモ・サピエンスに成長されることを願っています。(引用者訳)

李東洙が学生運動のメンバーでなかったという状況は、彼を積極的に記憶しようとする仲間がいなかったことを意味している。さらには、遺族が語ることを避けてきたこともあり、李東洙を個別に追悼する記念事業は現在も存在していない。焼身という手段だけでなく、所属大学、スローガンも同じであったにもかかわらず、同志たちの手で資料館が設立され、公的な墓地に祀られている李載虎(望月洞(マンウォルドン)民族民主烈士墓地)と金世鎮(民主化運動記念公園内墓地)とは対照的だ。このような違いは、焼身した死者が必ずしも烈士として積極的に記憶されているわけではないことを示している。烈士として民主化運動の記憶に積極的に取り込まれるためには、死者の残した言葉や生前の活動が残された人々によって民主化運動に寄与した存在として意味づけられる必要があったのである。

6 葛藤の中に生きた烈士

李東洙が焼身した翌日、同じくソウル大学に通う朴恵貞(21歳)が漢江(ハンガン)に身を投げる。金世鎮、李載虎、李東洙の焼身とは異なり、朴恵貞の投身は孤独の中での自死であった。彼女は李東洙の死を目撃し、その直後から始まったデモに涙を流しながら参加した学生の一人だった。ところが、21日夜、前日から泊まっていた友人宅を出ると、朴恵貞はそのまま帰らぬ人となる。

学生運動に積極的に参加していたものの、運動を続けるということは、彼女にとって多くの葛藤を抱えながら生きることを意味していた。一つは、家族、特に親との葛藤である。朴恵貞は、自分が学生運動に参加していることを家族に秘密にしていた。しかし、状況は1984年9月19日のデモで連行されたことをきっかけに急変していく。一度も無断外泊をしたことがなかった娘が、2日間も警察で拘留されていたことを知った父親は、手を尽くして娘を学生運動から切り離そうとするようになったのである。生前、朴恵貞は家族との葛藤を次のように書き残している。

> 入学初期に抱えていた説得することができるだろうという期待と必ず説得しなければならないという私の意志は……結局、消え去ってしまった。今残されている問題は論理的な説得ではなく、両親が私にかける期待と妥協するか、それとも全面的に否定するかのどちらかだ。ヤヌスの顔が私の頭

の上に載せられているのだ。(引用者訳)

朴恵貞の父親をはじめ、当時の学生たちを子にもつ朝鮮戦争を経験した世代は、思想や行動が生死を分ける混沌とした社会を生き抜き、抗議デモへの参加がもたらす危険性を皮膚で感じてきた人々であった。金世鎭の手紙にも記されていたように、自分の子どもが学生運動や民主化運動に関与することを望まない理由の根底には、国家に抵抗することに対する否定的な記憶があったといえよう。そのため、多くの学生たちは、学生運動に参加するにあたり、親への屈服と親の否定の間で葛藤せざるを得なかったのである。

それまで社会的エリートを意味していた大学生という立場は、80 年代に入ると、高等教育の大衆化とともに変化し始めていた。しかし、80 年代の韓国社会において大学生は依然として、一般市民とは異なる知識人集団とみなされていた。この社会的現実と彼ら/彼女らが理想としていた民衆像との齟齬が、80 年代に運動に関わった学生たちを苦しめるもう一つの葛藤であった。

70 年代に使われていた民衆という概念は、現存する社会構造で抑圧されており、なおかつ立ち上がる力をもつあらゆる人々を意味していたため、労働者、学生、宗教家といったさまざまなアクターを民衆の名の下に団結させる役割を果たしていた。しかし、光州抗争を経て民衆の意味は変化していく。80 年代において民衆は、光州抗争において命をかけて闘った失業者、労働者、行商人といった低所得者層を理想像とする概念となっていたのである。

80 年代の学生運動を担ったのは、この理想像としての民衆になろうとした若者だった。学生たちは、理念として民衆の解放を掲げただけでなく、大学生という知識階級であることを捨て去り、民衆にならなければならないという意識を強くもっていたのである。自らが民衆となるべきだという学生たちの認識は、上流層の生活様式だと考えられた余暇の過ごし方や食生活を拒否し、貧しい人々の生活スタイルを意図的に自らのものとするべきという強迫観念とも言える感覚を生み出していた。1986 年に大学に入学した B(男性)は、学生運動をしていた時の考えを次のように語る。

当時有名だったメーカー、ナイキやアシックスの靴、服、鞄等を持ってはいました。でも、運動をしていた人は、家に積んであるだけで、履けませんでした。労働者階級、民衆の生活に最も近い、似た姿で生きなくてはならない。かつての表現を使えば、民衆のために運動をするのだから、民衆と共に運動をするという段階を経て、民衆として運動をしなければならない、存在移転〔後述〕をしなければならないと考えていました。そういう考えを常にしていました。私たちは根本的にプチブル、プチブルジョア的な、そういう限界を抱えた知識人層なので、そういう階級的限界を克服し、存在そのものを民衆に変換しなければならないと考えていたのです。これは、運動に関わる者の常識として、党派とは関係なく、すべての党派が同じように確認し、自分の生活の中、運動の過程で実現しなければならないと考えていたため、意識的に、ボロボロで、本当に民衆的だと考えていた下層民の生活を送ろうとしていたのです。(Bインタビュー、2018年3月7日、於ソウル市)

学生運動家が選択したこのような生活スタイルは、学生たち自身がイメージしていた労働者や民衆の姿をモデルとしていた。80年代の韓国社会では、労働者が戦闘的な行動を取るのは、彼ら／彼女らに教養が備わっていないからだとみなされていたが、学生たちはそれを逆転させるとともに神聖視していた。労働者の純粋さ、荒々しさ、素朴さを重視する一方で、西洋的なもの、贅沢なものを資本主義的なものとして受け止めていたのだ。つまり、学生たちは素朴でありながら、資本主義的なものを拒否する理想型として労働者や民衆のイメージを作り出し、自分たちの生活スタイルをその理想に近づけようとしていたのである。1989年に西江大学に入学した金元は、「理想的な人間像」として80年代末に考えられていた労働者、民衆のイメージと現実に目にした労働者の姿とのギャップに直面した時の衝撃を次のように回顧している。

民衆、より正確にいうと労働者は、私たちにとって「理想的な人間像」だった。思い起こしてみると、過去に我々が想像していた民衆は、現実に存在する民衆とは違うものだったのではないかと私は考えている。立ち上る火炎、催涙弾やチラル弾〔着弾後、前後左右に飛び跳ねる催涙弾〕を前にしても労組の旗を力強く握りしめ、立ち続ける労働者。自分の周囲で苦しんでいる同志のために持てるすべてを投入する労働者、そして民衆。断固として不義と搾取とは妥協せず、死を厭わず闘争する労働者……そういったイメージこそが、当時私たちが想像していた労働者、民衆の姿だった。いま思えば、そのようなまったく矛盾を抱えることのない人間像とは、革命家であっても身につけることができない一つの「幻想」だったのかもしれない。実際に私は、1995年に大宇(デウ)造船所の労働者と1週間程度生活を共にしたことがある。個人的には非常に大事な記憶であり、その時初めて労働者の日常的な衣食住、彼らが実際に睡眠をとり、話し、悩む姿を目にしたのだが、それは私が想像していた民衆とは違っていた。むしろ中産層に近かったとでもいおうか。私と同じように飲み食いし、休みをとり、生ビールを飲んで騒ぎ、多くの組合員は自家用車で出勤していた。もちろん残業や解雇のリスク、危険で残酷な労災の恐怖に常にさらされていたものの、彼らの姿からは当時私たちが思い描いていた革命家や闘士のイメージを見いだすのは容易ではなかった。もう一つの神話が解体された瞬間だったのである。(金元『忘れられたものたちの記憶』イメジン、2011年〔引用者訳〕)

多くの学生たちが、自分たちが作り出した民衆の姿と学生である以上捨て去ることができないエリートという立場の齟齬に苦しんでいた。この齟齬を解消する一つの方法が、一人の労働者になることだった。Bのインタビューで語られている、「存在移転」と呼ばれる労働現場への擬装就労は、80年代に学生運動を続けるうえでの一つの通過儀礼となっていた。しかし、擬装就労はたやすいものではなかった。思い描いていた理想の民衆と違う労働者の姿に失望して帰ってくる人や厳しい肉体労働に耐えきれず大学に戻ってくる人など、多くの学生が労働現場で苦しみ、挫折感を味わっていたのである。

朴恵貞は、父親と対立した後、家族には知らせずに大学を休学し、製本工場に擬装就労する。彼女にとってこの擬装就労は、家族からの独立だけでなく、自らが民衆的な生き方をできるか否かを試すものでもあった。しかし、この試みは4週間という短い期間で終わりを迎え、自身に深い挫折感を与えるものとなってしまう。民衆として生きていけなかった自分の姿や中産層の家庭で育った一人の学生として生きることそのものが、朴恵貞にとっては「罪」として感じられるようになっていった姿を遺書から読み取ることができる。

> 心痛めながら生きてゆく勇気のない者は、恥にまみれて死にゆこう。
> 生きることの痛みをともにする自信のない者は、恥にまみれた人生であるばかりか、罪を犯してもいる。
> 絶望と無気力。
> この地の持たざる者、虐げられた者、不当なるものに奪い取られていることへの傍観、さらには自分もともに奪い取っていることの罪。
> これ以上の罪の負債は耐えられない。
> 美しく生きてゆく全ての人々に対し、恥ずかしい。
> 愛することのできなかった負債を償うのみ。
> これからも愛することはできないのだから。
> 罵ってください……あらゆることの放棄の罪を。
> どうか罵ってください、罵っていてください……
> (真鍋祐子『烈士の誕生』平河出版社、1997年)

誰にも何も告げず身を投げた朴恵貞が残した一編の詩のような遺書は、彼女が何に絶望し、何のために死を選択したのかを具体的には語らない。そこで語られているのは、焼身した烈士や懸命に生き抜いている民衆に対して感じたのではないかとみられる、生きていくことを罪とする彼女の心情であった。このような罪の意識が80年代に運動に関わった人々に共通するものであったことを踏まえると、彼女の苦悩を運動の文脈に位置づけることもできたはずである。しかし、先に述べたように、朴恵貞は仲間たちによって烈士とみなすべきではないと判断されてしまう。これは、80年代に民主化運動を闘った人々を民主化という大義に向けてよどみなく闘った英雄として想起する記憶の枠組みが、学生たちが抱えざるを得なかったさまざまな矛盾を忘却することで成立していることを示している。

7　名もなき烈士が伝えてくれるもの

韓国社会において、自死を選択した烈士たちが皆等しく記憶されているわけではない。記念館が建てられ、遺族や友人たちが執り行う記念式典を通じて想起され続けている烈士がいる一方で、振り返られることなく社会的に忘却されていく烈士もいる。光州抗争の真実を伝えようとした金宜基、反米闘争を叫んだ李載虎や金世鎮は民主化という大義のために自死を選んだ烈士とみなされてきた。一方で、自らを記憶しようとする仲間をもたなかった李東洙や民衆になりきれない自分の姿に苦しんだ朴恵貞は、烈士という名を与えられながらも、ほとんど顧みられることのない烈士だと言えるだろう。

民主化運動と聞くと、激しい抑圧にも怯まず、闘い続けた勇気ある人々の活動を思い浮かべるかもしれない。映画『1987、ある闘いの真実』が描いているように、そういった側面があったことは事実である。しかし、英雄譚として民主化運動を想起しようとする記憶は、悩みや悲しみを抱えながら民主化運動に関わっていた普通の若者の姿を見えにくくさせてしまう。若き烈士たちの遺書や手紙は、一人の若者が運動の中で、悩み、苦しんでいたという事実とともに、普通の若者が民主化運動を動かしていたことを我々に伝えてくれるのである。

リーディングリスト

● 徐仲錫著、文京洙訳『韓国現代史 60 年』明石書店、2008 年(서중석『한국현대사 60 년』역사비평사 2007)

現代史研究者による、民主化運動を軸に書かれた韓国現代史。民主化運動に関する基本的な情報がコンパクトにまとめられているため、索引を頼りに辞書のように使うことができる。

● Lee, Namhee, and Won Kim, (eds.) *The South Korean Democratization Movement: A Sourcebook*. Seongnam-si, Korea: The Academy of Korean Studies Press, 2016.（イナムヒ・金元編『韓国の民主化運動』、未邦訳）

英語圏の学部生向けに編まれた民主化運動史。関連する資料も掲載されており、民主化運動をより深く知りたいと思っている方には有益な道しるべとなる1冊。なお、本書で英語に翻訳されている書籍を除く声明文等の資料は民主化運動記念事業会オープンアーカイブ(http://db.kdemocracy.or.kr/)から原文にアクセスできる。

◉黄晳暎記録、光州義挙追慕会訳『光州5月民衆抗争の記録――死を越えて、時代の暗闇を越えて』日本カトリック正義と平和協議会、1985年(황석영 기록/전남사회운동협의회 편『죽음을 넘어 시대의 어둠을 넘어』풀빛 1985)

80年代に民主化運動に関わった人々が実際に手に取って読んだ、光州抗争の実態を伝えた文書の全訳。韓国を代表する作家・黄晳暎(ファンソギョン)による生々しい描写を通じて、初めて手に取った人々が怒りや恐怖で指を震わせながら読んでいた姿を想像してみてほしい。

◉権仁淑著、山下英愛訳『韓国の軍事文化とジェンダー』御茶の水書房、2006年(권인숙『대한민국은 군대다』청년사 2005)

80年代の韓国学生運動に表れていた闘争性がフェミニズムの視点から批判的に論じられている。特に、無意識のうちに国家や大義を優先し、戦える男性的な活動家になろうとしていた元活動家の語りは、民主化運動内部にあった男性中心性を抉り出している。

◉김원『잊혀진 것들에 대한 기억』이매진 2011(金元『忘れられたものたちの記憶』、未邦訳)

学生運動に関わっていた人々の日常に関する語りを通じて、80年代の学生たちが共有していた運動文化や悩める心情が描き出されている。特筆すべきは、公的に語られてきた学生運動の記憶とは異なる忘れ去られてきた記憶に基づいて学生運動を捉え直すことで、80年代の記憶が特定の集団よって独占されている状況を浮かび上がらせていることにある。

◉黄晳暎著、舘野晳・中野宣子訳『囚人[黄晳暎自伝]I　境界を越えて』明石書店、2020年(황석영『수인 1 경계를 넘다』문학동네 2017)

黄晳暎著、舘野晳・中野宣子訳『囚人[黄晳暎自伝]II　火焰のなかへ』明石書店、2020年(황석영『수인 2 불꽃 속으로』문학동네 2017)

激動の韓国現代史の中で、ベトナム戦争や光州抗争と関わり、のちに朝鮮民主主義人民共和国への訪問を経験した筆者の波乱に充ちた生涯を記録した自伝。70年代から80年代にかけての文化運動の展開に関する部分では、国内外の文化人や知識人が互いに結びつき、文学・詩・舞踊などの文化的表現を通じた抵抗運動を生み出していた実態を知ることができる。

コラム　町工場の裏路地で

私が1980年代の学生運動に興味をもったのは、2006年に一人の韓国男性と出会ってからである。1980年代に大学時代を過ごした彼とは一回り以上の年の差があったにもかかわらず、なぜか私たちはすぐに打ち解けることができた。2人の待ち合わせ場所は決まって彼の行きつけの飲み屋で、そこには私にとって未知の韓国料理の世界が広がっていた。精肉店で隠れて食べた生の牛肉、釜から取り出されたばかりの豚の内臓、鮮烈な香りを放つ発酵させたエイ。なかでも、ホンオと呼ばれる発酵させたエイを初めて口にした時の衝撃は、いまも忘れることができない。

食事を繰り返すうちに、私は待ち合わせ場所に彼なりのこだわりがあるのではないかと思うようになった。好んで連れて行ってくれる店の多くが、小さな市場や町工場の裏路地にある一見古びた店だったのだ。ある日、なぜ古びた店が好きなのか聞いてみると、彼は神妙な面もちで次のように答えてくれた。「韓国のことを分かるためには、民衆の生活が分からないとダメなんだよ」と。彼は、古びた店に一緒に行くことで民衆の姿を私に感じてもらいたかったのだ。

彼が民衆という存在を大事に思う気持ちのルーツが1980年代の学生生活にあることを後に知ったものの、当時の私は韓国語の民衆（ミンジュン）という言葉に込められていた彼の思いを理解することができなかった。同じ漢字語でありながら、なぜ日本と韓国で与えられている意味が異なっているのだろうか。なぜ彼は現在においても民衆をそれほどに大事な存在として考えているのだろうか。無知が故の些細なひっかかりではあったものの、これらの疑問は1980年代を名も無き大学生として生きた人々の気持ちを理解したいと思わせる原動力になっていったのである。この思いはいまも、私の1980年代に対する関心の根底に流れている。

1980年代の韓国社会や現代の韓国民主主義を理解するうえで、光州抗争や6月抗争がとても大事な事柄であることは間違いない。その一方で、運動と深い関わりを持たずとも素朴に民衆という存在でありたいと思い続けている人々のことを私は忘れることができずにいる。彼の言葉は、1980年代を「民主化運動の時代」としてしまうことで、見えなくなってしまう存在がいるということを私に語り続けているのである。

keyword ❶

光州抗争と６月抗争

光州抗争(1980年5月18日〜27日)と6月抗争(1987年6月10日〜29日)を抜きにして、1980年代の韓国民主化運動を語ることはできないだろう。

光州抗争とは、1980年5月18日の空挺部隊と学生の衝突が大規模な市民の抵抗に発展した後、5月27日に完全鎮圧されるまで続いた光州市民による10日間の闘いを指すものである。民主化運動史における光州抗争の重要性は、軍部による虐殺と市民が武器を取って結成した市民軍の存在が、民主化運動内部に2つの新たな潮流を生み出したことにある。一つは、反米主義の登場である。韓国の人々にとって米国は日本の植民地支配を終わらせ、朝鮮戦争で韓国を救った救世主であり、民主主義のモデルでもあった。しかし、韓国軍の動員に米国の承認を必要とする状況で、軍部隊が光州抗争を鎮圧したことは、運動陣営に米国に対する疑念を抱かせ、反米思想を民主化運動にもたらしていく。もう一つの変化は、新たな民衆像の誕生である。光州抗争の過程で命を落とした市民軍の多くは露天商や工場労働者といった貧困層の人々であった。この事実がそれまで民主化運動の中核にいた知識人層への失望をもたらすと同時に、命をかけて戦い抜いた市民軍をモデルとした民衆像を民主化運動の前面に登場させたのである。この闘士としての民衆像は、虐殺された人々に対する罪の意識と相俟って、一部の民主化運動を激しい闘争へと駆り立てていくことになる。

1987年は、第五共和国憲法に基づいて大統領を間接的に選ぶのか、それとも憲法改正を通じて直接選挙制で大統領を選ぶのかの分かれ目だった。このような状況を民主化へと動かしたのが6月抗争である。ありとあらゆる立場、階層の人々が抗争に加わったことから「全民抗争」とも呼ばれる。この6月抗争によって、韓国の人々は頑なに改憲を拒否してきた全斗煥政権を危機へと追い込み、大統領直接選挙制への転換という制度的民主化を勝ち取ったのである。6月抗争の特徴は、それまで傍観していたホワイトカラーなど多くの一般市民が闘争に加わり、闘いがピークを迎えた6月26日の街頭デモには全国で100万人を超える人々が参加したことにある。多くの市民を街頭に引き出したのは、朴鍾哲（パクジョンチョル）拷問致死事件の隠蔽・擬装工作やデモ隊に対する激しい鎮圧が国民の怒りを引き起こしたことに加え、大統領直接選挙制を目標に定めた全国規模の運動組織（民主憲法争取国民運動本部）が結成されたためであった。

多大な犠牲を払ってつかみ取った民主化ではあったが、労働者の生存権に関する要求は民主化宣言に反映されなかった。これを受けて、1987年7月から9月にかけて「御用労組の排除・民主労組の建設」「労働条件の改善」等を求めた労働者によるストライキ・籠城・街頭デモ（労働者大闘争）が発生する。この闘争は、労働権や民衆の生存権といった面で韓国民主主義の幅を拡張する機会であった。しかし、6月抗争で重要な役割を果たした民主憲法争取国民運動本部が労働者大闘争に対して消極的な態度を取ったため、労働をめぐる問題は1987年の民主化から取りこぼされてしまう。これは6月抗争において国民運動本部と連帯していた合法的な労働運動がなかっただけでなく、国民運動本部そのものが民主化運動の目標を、直接選挙制を勝ち取ることに限定し、民主化宣言によって民主化が達成されたと考えていたからであった。

民主化宣言直後に労働者大闘争が起こったことが示すように、民主化運動内部には大統領直接選挙制を超えた民主化を求める人々が存在していた。彼ら／彼女らは、統一運動、女性運動、貧民運動、文化運動へと闘いの場を移しながら、韓国社会のさらなる民主化を求めて運動を続けていくことになる。言うなれば、1987年の民主化は多くの民主化運動活動家にとって「未完の民主化」だったのであり、韓国社会の民主化は現在も続く闘いなのである。

（青木義幸）

2 国家による包摂と疎外
——韓国にとっての在日コリアン

緒方義広

1　日本の植民地支配にルーツをもつ在日コリアン

いま日本社会では出入国管理体制の問題が社会的な注目を集めている。「不法滞在」として出入国在留管理庁に収監された外国人の人権が守られていないというものだ。極めて非人道的な対応によって死亡者までも出ている。しかし、この問題はいまに始まったことではない。日本の出入国管理制度への批判は何年も前からなされており、遡れば日本の敗戦直後にはすでに存在していた問題であったとも指摘されている。

敗戦直後の日本において外国人をめぐる出入国管理の問題は、在日コリアンへの取締りをめぐる問題そのものであった。1980年代に被植民地支配地域以外からの外国人が日本に増える頃まで、日本に住む外国人のおよそ8割は韓国・朝鮮籍の外国人、つまり在日コリアンだったからである。

日本の敗戦は、その植民地であった朝鮮半島にとって解放を意味した。韓国では8月15日が「光復節(クァンボクチョル)」として記念される。しかし当時、日本に住む朝鮮人たちにとって日本の敗戦は即座の解放を意味しなかった。なぜなら、日本が1952年にサンフランシスコ講和条約の発効を受け国際社会に復帰するまでの間、在日コリアンは日本国籍を有するとされたからである。一方で奇異なことに、日本政府は同時に、日本国籍であるとしたその在日コリアンを「外国人とみなす」とした。在日コリアンを日本の法制度のもとに留めつつ、その権利行使を制限し、管理・統制するためであった。そして、連合国軍占領当局もそれを事実上黙認した。

1952年、日本政府は法務府民事局長による通達をもって、サンフランシスコ講和条約の発効とともに植民地出身者は日本国籍を喪失するものとした。日本におけるこれ以降の出入国管理体制は「52年体制」と呼ばれる。当局の都合によって人の国籍を一方的に保留とし、また喪失させることを正当化した52年体制の非人道的性格は、現在の日本におけるレイシズムや差別的な外国人政策に通じていると専門家は指摘する。日本における差別的な外国人政策は、敗戦直後の植民地出身者への管理・統制に始まったというのだ。

52年体制のもと不安定な地位に置かれた在日コリアンは、1965年と1991年に日韓の間でそれぞれ一定の合意がなされたことで、最終的に「特別永住」が認められるようになった。しかし、これは永住の「権利」が認められたわけではなく、あくまで資格が付与されたに過ぎない。その法規定には「永住権」という言葉は記されていない。日本の植民地支配によって日本に定住せざるを得なくなった人々に対する文字通り特別な措置としての永住資格だが、それはあくまでも日本政府による「配慮」に過ぎず、植民地支配の責任を果たした結果ではない。

一方、在日コリアンを取り巻くそうした状況に現在の韓国政府が十分な認識をもっているようには見えない。韓国政府は、1950年代の対日交渉においてこそ植民地支配の責任について日本を厳しく追及する姿勢を見せたが、それを真っ向から否定するかのような日本側との交渉を進めることはなかなかできなかった。結局、東西冷戦の中、北朝鮮との体制競争に直面していた韓国は妥協を強いられることになる。植民地被害の十分な清算よりも「反共」を優先せざるを得なかったのである。もちろん、植民地支配の責任について韓国側は最後まで譲ることはなかったが、日本政府もまた植民地支配に対する法的な責任を否定したまま、1965年に日韓国交正常化の合意がなされた。世界的な冷戦の真っ只中にあった当時、米国を中心とした自由主義陣営として「反共」という共通の利益のために日韓の国交正常化が急がれたのである。

その後、植民地支配の責任をないがしろにしたままに成立した東アジアの国際秩序は、のちに「65年体制」と呼ばれるようになるが、それは今に至る日韓関係の基本的な枠組みとなった。在日コリアンをめぐる植民地支配の責任が十分に問われることなく、またそのことが韓国でも十分に認識されてこなかったことの背景には、そうした65年体制の枠組みが影響した。特に、後述する在日コリアンの「朝鮮籍」をめぐる問題は、南北に分断された朝鮮半島の冷戦構造が反映されたものである。

戦後75年以上を経て、在日コリアンはすでに日本社会の一員として深く根を下ろしている。にもかかわらず、日韓関係の狭間で、いまだ終わらぬ冷戦、つまり朝鮮半島の分断に翻弄される存在であり続けている。在日コリアンをめぐる韓国社会の問題を知ることによって、韓国がいまだに冷戦の構図を抱えた分断国家であるという現実に気付かされる。

2　在日コリアンの呼称をめぐる議論

在日コリアンとは、植民地支配下において日本に住むことを選ばざるを得なかった人々とその子孫である。日本は、1910年の「韓国併合」をもって、台湾に続き朝鮮半島を植民地支配した。その結果、日本に移り住む朝鮮人が増加した。また、植民地支配のもと日本の「皇国臣民」とされた朝鮮人たちの中には、戦争に動員されたり強制的に労働を課された人たちもいた。さまざまな経緯で日本に渡り、長期にわたる植民地支配のもと、日本に定着する人たちが増えた。

朝鮮人が日本に渡ってきた時期はさまざまであり、その特定は容易でない。植民地期の朝鮮半島は日本の一部とされ、自由にとは言えないものの多くの朝鮮人が日本と朝鮮半島の間を往来した。九州・中国地方と韓国の慶尚南道(キョンサンナムド)、全羅南道(チョルラナムド)は地理的にも近く、大阪と済州島(チェジュド)の間などには定期航路があったりと、植民地期を前後し日本と朝鮮半島は生活圏の重なりをもっていた。そのため、植民地期の直接的な強制が伴った人口移動だけでなく、1910年の「韓国併合」以前から公式の統計に表れない人口移動が少なくなかったと見られる。

植民地支配によって疲弊と混乱がもたらされていた朝鮮半島は日本の敗戦後、経済的困難はもちろん政情不安に見舞われ、日本から戻りたくても戻れなかった人々が少なくない。日本の敗戦時に約220万人いたとされる朝鮮人のうち60万人ほどがそのまま日本に残り、現在に至るまで日本社会の少数民族集団を形成している。

ところで、在日コリアンの呼称は、それ自体が重要な研究テーマになり得る。本章では、現在一般的に広く用いられている「在日コリアン」という表現を使っているが、ほかにもさまざまな呼称が存在する。学術的に、特に歴史学の分野では「在日朝鮮人」という呼称が一般的だ。「朝鮮半島」にルーツをもち、国家としての大韓民国(韓国)が1948年に成立する以前から日本に住む朝鮮半島出身者たちを指すためだ。在日コリアンのアイデンティティとして、日本による朝鮮植民地支配の歴史が中核をなしていることも大きい。

NHKの教養講座に「ハングル講座」がある。ハングルというのは朝鮮語(韓国語)の文字を指す原語の表現だが、会話の講座であるにもかかわらずこのタイトルが使われている。他の言語が、英語、イタリア語、フランス語などのように呼ばれているのと異なるが、これは「朝鮮語」、あるいは「韓国語」という一方の表現を採用することで生じる軋轢に配慮した結果だ。最近では英語の表現を組み合わせ「コリア語」と呼ぶケースも散見されるようになった。「在日朝鮮人」、あるいは「在日韓国人」の呼称も、表現によって生じる軋轢を避けるかのように「在日」と縮めて表現することが少なくない。近年では韓国でも、呼称をめぐる議論を避け、日本語の音そのままに「ザイニチ(자이니치)」と表現することがある。

ただし韓国では、呼称をめぐる議論の性格が日本のそれとは多少異なる。「朝鮮」という表現が反共の立場からネガティブに捉えられているためである。韓国では1948年に「大韓民国(韓国)」の国号が決められる過程でいくつかの候補が議論されたが、政治勢力によってそれぞれ主張が分かれ、「右派は大韓、左派は朝鮮、そして中道派は高麗」という図式が形成された。同じ頃、朝鮮半島の北側では朝鮮民主主義人民共和国(北朝鮮)が誕生し、「朝鮮」という表現には左派や共産主義の色がつくようになった。韓国政府は1950年、一部の例外を除き「朝鮮」という表現を使わないよう発表するなどし、その後、国名としてはもちろん、民族の名称としても「朝鮮」という表現はほとんど使われなくなり、「韓国」という言い方が定着するようになった。

いまでも「朝鮮」という表現が使われるのは、歴史に関連し「朝鮮王朝」について言及される際や、植民地期より存在する日刊紙『朝鮮日報』や、ウェスティン朝鮮ホテル、全羅道光州にある朝鮮大学校などの固有名詞としてくらいだろう。現在の韓国では、朝鮮半島を「韓半島」、朝鮮語は「韓国語」、民族としての人も「韓人」、「韓国人」と表現する。つまり、いまだ分断体制にあり北朝鮮との関係において反共政策の残る韓国において、「朝鮮」という表現には日本語のそれとは異なった響きがあるのだ。

一方でこの呼称問題は、韓国の反共意識だけではなく、歴史的な側面からも議論が可能だ。日本が朝鮮半島を植民地化した当時、その国はすでに「韓国」であった。朝鮮王朝は1897年、近代国家としての独立を宣言し国号を「大韓帝国(韓国)」としていたのだ。その後、この名称が人々の間に広く定着する間もなく、1910年に日本が「韓国併合ニ関スル条約」をもって大韓帝国の国号を廃し、朝鮮半島を大日本帝国の一部として「朝鮮」と呼称することとした。

そうした経緯から、植民地支配をそもそも無効と考え、それ以前の韓国、つまり大韓帝国の時代から歴史が続いているという考え方から、いまの朝鮮半島全体の呼称を「韓国」、その国民は「韓国人」とするのが妥当であるとの主張も可能だ。つまり、植民地支配において「朝鮮」なる呼称は、独立国家としての韓国を貶める呼称であったとの認識である。

また、史実的な経緯とは関係なく、日本が侮蔑の言葉として「チョーセンジン」と呼ぶイメージが、韓国の人たちに「朝鮮」は差別語であると理解させている現実もある。このように日本による植民地支配の歴史が「朝鮮」という響きを不快にさせている側面も見逃せない。

3　韓国在外同胞としての在日コリアン

韓国にとって、在日コリアンは「在外同胞」とされる。国際化の時代を迎えた1990年代、韓国はさらなる経済発展を目指し、海外から多くの労働力を迎え入れるようになった。韓国政府は1997年、世界に散らばる在外同胞の国際的な民族ネットワーク構築を目指し、外交部(日本の外務省に相当)の傘下に在外同胞財団を設立、1999年には「在外同胞の出入国と法的地位に関する法律」(在外同胞法)を制定した。外国人労働力として、在外同胞の入国を優先的に促そうとしたのだ。在外同胞の受け入れには紆余曲折があったものの、外国国籍同胞には在外同胞専用のビザ(F-4)が発給され、一般の外国人であれば一定の条件が伴わない限り容易ではない就労の権利などが認められる優遇措置が採られた。

韓国の在外同胞はいま世界に約733万人いるとされる。在外同胞としての在日コリアンは、日本国籍を取得した者を含め82万人とされており、在米同胞(263万人)、在中同胞(235万人)に次ぎ3番目に多い(韓国外交部2021年統計)。

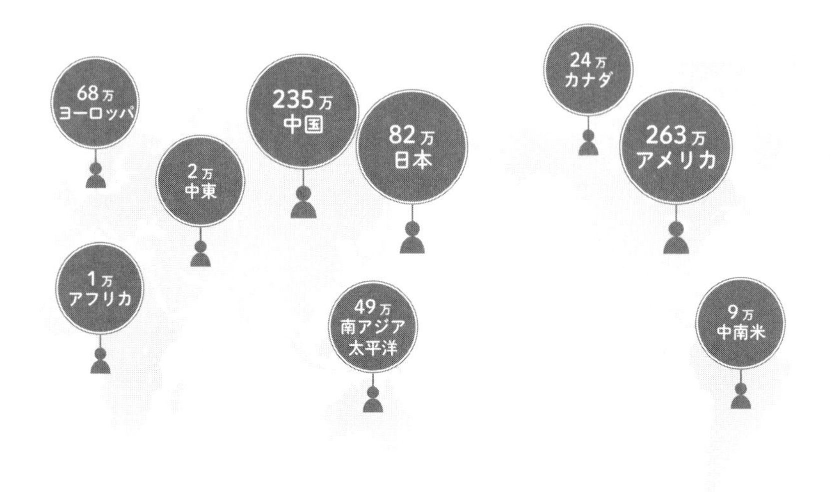

在外同胞分布図(韓国外交部 2021 年統計)
出典：在外同胞財団公式ブログ「コリアンネット」をもとに作成

在外同胞は法規定上、大きく2つに分けられている。在米同胞1世のように、韓国で生まれ育ち外国へ移住していった「在外国民」と、在中同胞(中国朝鮮族)のように、そもそも外国で生まれ育った「外国国籍同胞」である。在外国民にはいずれまた韓国に戻ったり、居住国で永住資格を得た後は韓国と行き来をしながら暮らす人々も少なくない。一方、外国国籍同胞は、外国で生まれ育っているため現地の文化を習得し韓国語を話さない場合も多い。また、在米同胞であっても2世代目以降になると、現地で生まれ米国籍を取得するため外国国籍同胞となりうる。当然ながら、現地での生活が長ければ長いほど、言語をはじめ文化的にも韓国とは距離が生まれていくのが一般的である。

在日コリアンの多くは韓国籍をもつため、韓国の制度上は「在外国民」に当たるが、日本で生まれ育ち、当然ながら日本の文化を背景にもつ日本語ネイティヴで、韓国語(朝鮮語)を話さない場合が大多数だ。韓国を一度も訪れたことがない人たちもおり、本質的には外国国籍同胞と同様の性格をもつ。ここに、何世代にもわたって日本に住みながらも、日本の国籍を取得せず「外国人」のままでいる在日コリアンの特殊性がある。韓国も日本も出生地主義ではなく血統主義を採っていることも、在日コリアンを特殊な在外同胞にさせる要因になっているが、何よりも大きいのは、植民地にルーツをもちながらも宗主国であった日本にそのまま住み続けざるをえなかったことである。

ところが、在日コリアンのその歴史性を含んだ特殊な性格は、韓国社会において十分に認識されていない。私は、韓国に住む在日コリアンの友人からある SOS の電話をもらったことでそのことを強く認識するようになった。韓国の男性と結婚し 2 児の母として奮闘していた彼女は日本で生まれ育った。結婚を機に韓国に移住し、本格的に韓国語を学び始めるまでは、多くの在日コリアンがそうであるように、韓国語を話すわけでもなければ、韓国に住んだこともなかった。

彼女からの SOS はこういうことだった。韓国でも少子化対策として、幼児保育料の経済的支援制度など、子育て支援サービスが国や自治体によって設けられているが、自分は在日コリアンであるがためにそのサービスを受けられない、というのだ。子育てサービスの申請には子どもの住民登録番号が必要とされる。住民登録番号とは、日本のマイナンバーに当たるものだが、金融関係の手続きだけに利用されるのではなく、あらゆる行政サービスで活用される「国民総背番号」のようなものである。韓国国民であれば本来出生とともに住民登録番号が付与され、それにもとづき子育て支援など、行政サービスを受けることができるのだ。

2020 年のコロナ禍の初期、韓国政府による感染者の動線把握など、徹底した防疫体制の実施が可能となったのも住民登録番号による識別と管理の体制があったからである。この住民登録番号制度はもともと、1960 年代にスパイ識別の目的でスタートしたものと言われている。特別な場合を除き一生変更することのできない固有番号であり、あらゆる個人情報を紐付けしているという点で世界的にも珍しい国民管理システムだ。

ところがこの番号は、「海外移住法」という法律によって、外国の国籍や永住権を取得した場合には抹消されることとなっている。そのため、日本に永住資格をもつ多くの在日コリアンは、2014 年に法改正が行われるまで、韓国に居住していても住民登録番号が付与されなかった。しかし在日コリアンがもつ「特別永住」とは、日韓国交正常化とその後の日韓交渉によって被植民地出身者だけを対象に認められた資格である。植民地支配の結果、日本に定住せざるをえなかった在日コリアンの歴史が反映された、文字通り「特別な」永住資格だ。

特別永住資格は新たに取得することができない代わりに、その子どもには受け継がれる。在日コリアンにとって、ある意味で国籍のようなものでもある。しかし、その特別永住資格をもつがゆえに韓国では不利益を被らざるをえなくなった。その資格を放棄しない限り住民登録番号が付与されないのだ。その結果、在日コリアンの子どもたちは韓国籍をもっていながらも、韓国の国民を対象とした子育て支援の対象にならなかった。

少し調べてみると、SOS を送ってきた友人以外にも、同じ境遇にある在日コリアンの親子が韓国に少なくないことが分かった。多くの場合、韓国で生まれ育った男性との結婚をきっかけに韓国へ移住した女性とその子どもたちだ。ルーツは朝鮮半島にあったとしても、すでに 3 世、4 世と日本で世代を重ねてきた在日コリアンの多くは、韓国の文化よりも日本の文化に親しみをもち、特に言語の面では、民族学校などで学んできた場合であっても韓国社会で実際に使われる言葉とのギャップに苦労する人は多い。

韓国社会に多くの外国人が定住するようになった 2000 年代、在日コリアンの韓国移住も増えたと見られる。多くの在日コリアンは韓国籍を有し、いわゆる「内国人」となるため、出入国管理の統計上は数字にはっきりとは表れない。また、在留外国人の増加に伴い「多文化」化が進む韓国では、外国人を対象にした多文化政策(**keyword ❷** 参照)による各種の外国人支援が実施されているが、在日コリアンは韓国国民であるがゆえにその支援対象にもならない。日本に永住資格をもつため国民としての権利も十分に享受できず、韓国籍者であるために、外国人よりも不遇に晒される。

日本に戻ることは一生ないと腹をくくり日本の特別永住資格を棄ててしまわない限り、韓国において多くの在日コリアンはどっちつかずの状況に置かれることになる。しかし、国籍のような意味をもつ日本の特別永住資格を、親の判断だけで子どもから奪ってよいものなのか、成人し本人が判断するまで維持してあげるのが親の務めなのではないだろうか、と考える親も少なくない。もしも韓国生まれ韓国育ちの配偶者に何かあった時、ひとり親として子どもを育てるようになれば、やはり自分が生まれ育ち家族や友人のいる日本で暮らせる可

「在外国民」と明記された住民登録証のサンプル
出典：YTN　2015 年 1 月 22 日

能性を残しておきたい、という思いも聞く。また、植民地支配がゆえに日本に住まざるをえなかった祖父母や先祖のことを思い、一度捨ててしまえば取り戻すことのできない特別永住資格を便宜上の目的だけで諦めるわけにはいかないと悩む在日コリアンもいる。

また別の友人は、在日コリアンである自身の存在を「透明人間のようだ」と私に話してくれた。日本では「韓国人」、「朝鮮人」と外国人扱いされさまざまな権利が制限されてきたし、抑圧も受けてきた。個人的に差別を受けた経験はなくとも、残念ながらいまの日本には依然として在日コリアンを標的にしたヘイトクライムや露骨な差別が存在し、いつ自分がその対象になるかも分からない環境が残っている。一方で、自身の祖国、あるいは母国と思い海を渡って移り住んだ韓国では「普通の韓国人」として認められない。「日本人」扱いをされることすらある。

やはり同じような問題に直面したまた別のある在日コリアンは、相談のため訪れた役所の窓口で、「なぜ日本国籍を取得しなかったのか」と、韓国国籍を持ち続けたことが誤りであったかのように言われ、自分だけでなく家族のアイデンティティを否定されたかのような気持ちになったという。在日コリアンをめぐる問題や歴史は、日本だけでなく、韓国でもまた無関心の暴力に晒されているのだ。

実はいま現在、在外同胞に住民登録番号が付与されないという問題は一部解消されている。米国などに海外移住した後も韓国と行き来しながら生活する在外同胞は少なくないが、そうした人々の経済活動が制限されることは韓国社会にとっても得策ではないと政府が判断したと思われる。海外に永住資格をもつ場合も住民登録番号をもてるよう 2014 年に法改正がなされたのだ。しかし、番号の記載された住民登録証には「在外国民」と明記され一般の国民とは区別されている。不動産や金融取引などの場面では依然として制限を受けることがあるという。つまり、番号は付与されても「在外国民」として区分されることで、国内に居住していても社会のフルメンバーとして受け入れられていないことには変わりがないのだ。

4　在日コリアンと「分断国家」

在日コリアンに対する韓国政府の政策については、「棄民」であったとの批判がある。植民地からの解放後も日本政府による管理と統制のもとに置かれた在日コリアンの多くは、不安定な法的地位と社会的な差別に晒され苦しい生活を送らざるをえなかった。日本で暮らしながらも朝鮮人として生きることを目指して行われた民族教育も再三にわたり弾圧を受けた。そうした中、在日コリアンに対し手を差し伸べたのは韓国ではなく北朝鮮だった。1960 年代までは経済的に韓国が北朝鮮よりも圧倒的に劣っていたことがひとつの背景だった。

日本と国交正常化の駆け引きの只中にあった当時の韓国政府は、日本に対し強硬な姿勢で臨み、日本政府の管理下にある在日コリアンを自国民として十分に保護することができなかった。また、経済面での制約もあり、何ら支援策を打ち出すこともできなかった。そればかりか、日本政府の弾圧下にあって日本共産党との関係を深めた在日コリアンを警戒し、良好な信頼関係をつくることもできなかった。

そうした中、北朝鮮と日本は 1950 年代末に急接近し、在日コリアンの「帰還事業」(韓国では「北送問題」と呼んだ)を進めることになる。事業は、在日コリアンが少数民族として日本社会に残ることを望まなかった日本政府と、労働力の確保などさまざまな思惑のあった北朝鮮の利害が一致する形で実現した。この帰還事業は 1980 年代まで続くことになったが、韓国政府はそれに当初から猛反発をしたものの、何ら効果的な対抗策を講ずることはできなかった。

在日コリアンの 9 割以上が 38 度線以南、つまり韓国の側に故郷をもつにもかかわらず、結果的に 9 万人以上の在日コリアンが北朝鮮行きを選んだ。韓国にとって完全な外交的敗北であった。さらに北朝鮮は、日本国内における在日コリアンの民族教育に経済的支援を積極的に行った。その結果、多い時で日本全国に100校以上の朝鮮学校が運営され、2021年の時点で64校が残る。韓国系の民族学校は今もわずか4校に過ぎない。

朝鮮半島をめぐる当時の国際情勢を考えれば、韓国政府が在日コリアンを意図的に見捨てたとは必ずしも言えず、北朝鮮による帰還事業や民族教育支援は在日コリアンたちのための純粋な人道的支援だったと言えるのか疑問である。しかし、南北両政府が見せた在日コリアンへの対照的な態度は、日本で社会的少数者として過ごした当時の在日コリアンにとって、韓国からは「棄民」されたと感じるに十分であった。

その後、韓国は「漢江(ハンガン)の奇跡」と呼ばれる経済発展を果たし、1987年には民主化を遂げることになる。韓国社会の成長は目覚ましく、いまや文化的にも世界が注目する国となった。にもかかわらず、韓国政府と在日コリアンの関係は依然として複雑である。1970〜80年代の権威主義独裁政権下において母国・韓国に留学した在日コリアンたちが、北朝鮮からのスパイという濡れ衣を着せられ投獄・拷問される事件が相次いだ。国民の政府批判や民主化運動の勢いを妨げる目的から当局によってスケープゴートにされたのだ。近年になってようやく再審無罪の判決により、韓国でその汚名はそそがれつつある。

しかし、2021年には、在日コリアンや朝鮮学校へのヘイトスピーチを扇動してきた日本の右翼勢力に、韓国の情報機関が資金援助や情報提供をしていたという疑いが報道された。インターネットから出版業界にまで浸透した日本の「嫌韓ブーム」は韓国や北朝鮮をターゲットにしたが、その実害は日本に住む在日コリアンの生活に及んだ。日本の高校無償化制度において朝鮮学校だけを排除することは、日本人拉致加害国である北朝鮮との関係を理由に正当化されているが、そもそも外交問題を子どもの教育に持ち込むこと自体が人権侵害であり差別である。日本政府は国連からも再三にわたって民族教育を保障するよう勧告されている。にもかかわらず、在日コリアンを取り巻く差別問題に対し、韓国政府は日本に何ら積極的な働きかけを行っていないばかりか、それを容認、助長してきたとの疑いすら生じている状況があるのだ。

また、「朝鮮籍」をめぐる問題も依然として課題である。日本の外国人登録制度上、在留カードの国籍・地域欄に「韓国」ではなく「朝鮮」と登録されている在日コリアンがいる。いわゆる「朝鮮籍」の在日コリアンだ。韓国政府は実質、この朝鮮籍在日コリアンを在外国民に該当すると見なしておらず、もちろん外国国籍同胞とも見ていない。その結果、朝鮮籍の在日コリアンはかつて韓国に入国することができなかった。いわゆる進歩派政権と言われる金大中(キムデジュン)、盧武鉉(ノムヒョン)、そして文在寅(ムンジェイン)政権のもとでは朝鮮籍在日コリアンの韓国入国が実現するようになった。しかし、これはあくまでも人道的な配慮にもとづく措置であり、法的な権利として明確に、国民である、あるいは在外同胞であるとして韓国への入国が認められてきたわけではない。

なぜこのようなことが起きるかと言えば、韓国政府はこの朝鮮籍を北朝鮮の「国籍」である、あるいは北朝鮮支持の証と見なしているからだ。しかし、この朝鮮籍とは本来、朝鮮半島の出身者であることを意味するに過ぎず、どの国の国籍をも意味しない。当然ながら政治的な立場表明の証でもない。日本は北朝鮮と国交をもたないため、法的に北朝鮮国籍などというものは日本において存在しない。これは韓国でも同様である。韓国の憲法は、38度線以北の地域を含め朝鮮半島全域を自国の領土であると規定しており、北朝鮮を国家として認めていないからだ。しかも朝鮮籍とは、韓国の制度上何らの意味をももたない日本における外国人管理制度上の表記である。つまり、韓国政府が他国(日本)の制度をもって、自国民であるか否かの身分、あるいはその政治思想を判断し選別するという奇妙な状況が起きているのだ。

朝鮮半島は日本の植民地支配を受けた結果、解放後も米国とソ連の統治を受け、分断という悲劇を招くことになった。世界的な冷戦が終結したいまも、朝鮮半島には南北分断という冷戦構造が残っている。韓国はいまだにその真っ只中におり、朝鮮籍在日コリアンへの認識も冷戦構造の発想から抜け出せていないのである。元来、あくまで朝鮮半島出身者という意味に過ぎなかった朝鮮籍を北朝鮮と結び付けることで、朝鮮籍在日コリアンの排除を妥当なものと見なす。依然として残る反共政策がゆえの認識である。

5　日韓の狭間にある在日コリアン

韓国の経済発展には在日コリアンの貢献もあった。日韓で成功した製菓のロッテは在日コリアンの辛格浩(シンギョッコ)による創業だ。韓国のロッテグループは製菓にとどまらず、ショッピングや流通、建設、レジャーなど、さまざまな分野を扱う大財閥企業である。ソウルのど真ん中に位置するロッテホテルは、1970年代、日本ですでに成功していた辛格浩が当時の朴正熙大統領から「韓国に一流ホテルを」と乞われ開業することになったと言われている。

韓国を代表する金融グループとなった新韓銀行は、1982年に在日韓国人本国投資協会が中心となり創立された、韓国初の純民間資本銀行だ。韓国にはほかにも、一般には知られていないが実は在日コリアンの経済人が起こしたという企業や、在日コリアンの篤志家によって資金援助を受けた教育機関などが少なくない。韓国の経済発展の象徴でもあるソウル九老工業団地は、やはり在日コリアンの投資が支えた歴史をもつ。1988年のソウル五輪開催や、1997年のアジア経済危機の際など、母国の発展、危機克服のために在日コリアンが果たしてきた経済的貢献もまた小さくない。1950年に勃発した朝鮮戦争に日本から参戦し命を落とした在日コリアンの存在も忘れてはならない韓国現代史の一部である。

にもかかわらず、在日コリアンのそうした貢献は韓国で広く知られていない。在日コリアンに対する偏見もあった。本国が政治的にも経済的にも苦しかった時代に、高度成長を果たした日本経済の恩恵を受け、海外で豊かに暮らした人々、という妬みの入り混じった視線もある。

一方、世界的に活躍する在日コリアンが韓国で注目されることも近年増えている。東京五輪で銅メダルを獲得した柔道の安昌林や、韓国籍で北朝鮮代表になったサッカー選手、鄭大世などのスポーツ選手、ソフトバンクの孫正義などが韓国でも有名だ。メディアは、韓国にルーツをもつ在外同胞として誇らしげに彼らを取り上げる。特に在日コリアンの場合、日本で生まれ育ったにもかかわらず自身の民族的アイデンティティを大切にし、逆境を乗り越え成功した姿に人々は感動を覚える。

だが、民族意識や愛国心を過大に評価し選択的に受容するかのような態度には危うさがともなう。韓国社会が求める姿に符合しない在日コリアンはいつ排除の対象になるとも分からない。住民登録番号による国民識別システムの始まりは反共政策であった。しかし、反共のシステムは国民を識別し、時に排除する装置となってきた。植民地からの解放後も日本に残らざるをえなかった在日コリアンは、日本社会の差別に晒される一方で、朝鮮半島の南北分断に翻弄され、いまだにその影響から自由ではない。韓国社会がいまだに抱える冷戦的価値認識の現状や、国民と国家を中心に、時に二項対立の構図のみで捉えられがちな日韓関係。その狭間にある在日コリアンの存在を通じ私たちは、日本の植民地支配が残したもの、そして解決せずに放置してきたものに考えを馳せる機会をもつべきではないだろうか。

リーディングリスト

◉水野直樹・文京洙『在日朝鮮人――歴史と現在』岩波新書、2015年

在日朝鮮人を知るためにまず初めに手に取りたい基本書。植民地に起源をもつ在日朝鮮人の形成から、日本の敗戦、高度成長、そしてグローバル化を経て現在に至るまで、在日朝鮮人の歴史と現在を知ることができる。

◉在日コリアン弁護士協会(LAZAK)『裁判の中の在日コリアン〔増補改訂版〕――日本社会の人種主義・ヘイトを超えて』現代人文社、2022年

在日コリアンをめぐる問題は他人事ではない。本書は、日本社会に根を下ろし生活する在日コリアンが当事者となった裁判や事件を題材に、日本の差別や人権問題を扱っている。人の尊厳を損ねるヘイトスピーチの問題も今に始まったものではないと知ることができるだろう。

◉李里花 編著『朝鮮籍とは何か――トランスナショナルの視点から』明石書店、2021年

在日コリアンの「朝鮮籍」は制度上、国籍ではない。国家の枠組みを所与のものとする社会において、朝鮮籍はさまざまな議論を提起する。複数の研究者が論考を寄せる本書は、朝鮮籍をキーワードに、在日コリアンの存在とともに国家とは何かについてより深く考える機会を与えてくれる。

◉金時鐘『朝鮮と日本に生きる――済州島から猪飼野へ』岩波新書、2015年

著者は在日朝鮮人の詩人。戦時中、天皇を崇拝する典型的な皇国少年だった金時鐘(キムシジョン)は、日本の敗戦後、朝鮮人として目覚め祖国の自主独立運動に関わるようになる。済州島で起きた四・三事件をきっかけに大阪・猪飼野に渡り、在日朝鮮人として生きた、その半生が綴られた自伝的回想。

◉深沢潮『緑と赤』実業之日本社、2015年／小学館文庫、2019年

日韓という2つの国の間で揺れる男女5人を描いた小説。K-POP、韓流ドラマなど、韓国人気の一方で、在日コリアンを標的にしたヘイトスピーチの問

題など、韓国への嫌悪もまた同時に存在するのが今の日本社会。国の関係を語るとき見えなくなりがちな人間の顔、それを思い出させてくれる。

コラム　原点は高校時代

私が日韓関係に関心をもつようになったのは、高校生の時だ。親しくなった友人が朝鮮半島にルーツをもっていることを知ったのがきっかけだった。私の出身は在日コリアンが多く住む神奈川県川崎市だ。川崎と言えば2020年、全国に先駆けてヘイトスピーチを罰する条例を制定したことでも知られている。いま思えば、私と朝鮮半島の関わりは川崎が原点になっている。

小中高とサッカーに明け暮れていた当時の私にとって、朝鮮半島に対する認識は「中国の周辺地域」という程度の、実に恥ずかしい水準のものだった。しかし、友人の存在をきっかけに在日コリアンについて知ろうと、本屋で手にとった『在日韓国・朝鮮人——若い世代のアイデンティティ』(福岡安則、中公新書、1993年)を読んでみると、朝鮮半島と日本の深い関係や在日コリアンを取り巻く問題に気付かされた。

その後も、高校・大学の先生や友人たち、さまざまな環境や偶然が重なり、私は朝鮮半島をめぐる問題に関心をもち続けることになった。その偶然のうちのひとつが、日本軍「慰安婦」の被害女性から直接話を聞くという経験だった。詳しい話の内容はまったく記憶していないが、いま振り返れば、日本の戦後補償問題が本のなかだけの問題ではないことを実感した貴重な機会だった。

実はその時、さらに強く印象に残る経験をした。一緒にその証言を聞いていた聴衆のひとりが、その場で自身が在日コリアンであることを「カミングアウト」したのだった。彼女は、同じ朝鮮人として自分は通名を使い出自を隠し生活してきたことが恥ずかしくなったと、涙を流した。その出来事は、私にとって大きな衝撃だった。何も考えずサッカーに明け暮れていられる自分のような高校生がいる一方で、自身の出自を隠して生きることを強いられる高校生がこうして身近にいるという、不条理を強く感じた。

私は大学を出て3年働いた後、韓国に留学し国際政治学を専攻した。「近くて遠い」と言われる日韓関係について詳しく知りたいと思ったからである。国際政治と言えば、外交や安全保障が主たる関心事となり、多くの場合、研究対象の最小単位は国だ。日韓関係が語られる時も当然、「日本は」、「韓国が」と、対立の図式で捉えられる。しかし、私にとっての日韓関係は、国を最小単位にして語るだけでは十分でない。私はこれまで、国同士の関係として語り切れないところに関心をもって研究に取り組んできた。私がいま、朝鮮半島と日本の関係について関心をもち続ける原点が、高校時代の体験にあるからかもしれない。

keyword ❷

「多文化」化する韓国の外国人政策

1970〜80年代に急速な経済発展を果たした韓国は、1990年代以降、若年層の高学歴化に伴う製造業や建築業、農林漁業分野における労働力不足を補うため、日本に倣った「外国人産業研修生制度」を導入し、低賃金労働力として多くの外国人を迎え入れるようになった。また、少子高齢化に伴う急激な人口減少は、農漁村地域に外国人女性を迎える形の国際結婚の増加を促した。その結果、韓国における在留外国人数は、1992年から2012年の10年間に、6万5673人(人口比0.15%)から144万5103人(2.8%)へと約22倍に膨れ上がった。コロナ禍前の2019年末時点での在留外国人数は221万6612人と、人口の約4.3%にのぼる(日本の在留外国人は293万3137人で、人口の約2.3%である)。

2000年代に「多文化」化の進んだ韓国は、外国人を管理・統制の対象としてのみ捉えるのではなく、社会の一員としてどう受け入れ統合していくのかという方向転換を迫られ、多文化家族支援法(2008年)を制定した。労働力不足を補うために導入された外国人産業研修生制度については、外国人が過酷な労働環境に晒される危険性を多分に内包していたため(日本の制度も長年その問題点が指摘されている)、研修・実習といった建前をやめ、外国人を労働者とみなし政府が直接関与する雇用許可制を導入したことで、2004年に廃止となった。

しかし、韓国の外国人政策は決して十分ではない。何よりも外国人をめぐる社会認識の問題が指摘される。2021年、京畿道華城(キョンギ ド ファソン)にある外国人保護所(難民申請者施設)に収容されていたモロッコ出身の男性が、手足を後ろで縛られるなど、非人道的な扱いを受ける様子を捉えた動画が公開された。「不法」に滞在しているとされる外国人は犯罪者ではないが、たとえ犯罪者であっても守られるべき最低限の人権が守られていないことが露呈したのである。

また、コロナ禍における支援金支給の対象から外国人を除外し韓国人を優先させるのは当然と考える世論や、移住労働者に対する雇用者の暴力や非人道的扱いなども依然としてたびたび報道されている。一部に残る人身売買のような国際結婚も問題だ。結婚移民の女性が夫の韓国人男性に暴行・殺害されるという凄惨な事件もあった。韓国語による意思疎通や、家父長的な家族観に苦しむ移住女性も少なくない。

日本で言うところの「多文化共生」に当たる韓国の多文化政策には、「同化政策」に過ぎないという批判もある。多文化家族支援法は、その対象を韓国人と結婚した外国出身者(韓国籍を取得した外国籍出身者を含む)としており、夫婦ともに外国人である家族や独身外国人は含まれていないためだ。多文化政策の設計が結婚移住女性の社会適応に偏重している点も問題だ。国際結婚の多くが、韓国より経済水準の低い地域からの女性と韓国人男性の組み合わせであることから、本来は多様性への寛容を意味する「多文化」という用語が施しの対象として認識され、蔑みの視線に晒される弊害も生まれている。

ただ、多文化家族支援法の施行により、政府だけでなく地方自治体や市民団体などが連携し、官民による「多文化家族支援センター」が全国に200カ所以上運営されるようになった。韓国語をはじめ14カ国語で提供されるセンターのホームページや24時間対応のコールセンターなど、移住女性を支援する制度が拡充してきているのもまた事実である。

韓国はアジアで初めて難民法を制定(2011年)するなど、制度整備の面では日本の先を行っている側面もある。スピード感のある政策と社会の認識が徐々に進み、いまは制度から漏れている外国人だけで構成される家族のような存在や、在日コリアン、脱北者などのように、社会的に疎外された多様な存在が、多文化政策のなかでどのように掬い上げられていくのか、今後の発展が注目される。

(緒方義広)

3 日本軍「慰安婦」問題をめぐる日韓の溝

古橋 綾

はじめに

日本軍「慰安婦」問題は、1991年に当事者が自身の被害を告発したことにより社会問題となって以来、四半世紀以上もの間、日韓間の政治的軋轢であり続けている。日本政府は、日本には法的責任はなく道義的責任は果たしたためこの問題は解決済みという姿勢を崩さないが、韓国の人々は、問題の解決はなされていないという認識から日本政府を糾弾し続けている（keyword ❸ 参照）。

「慰安婦」問題については、これまでに多くの研究がなされてきた。特に、歴史学や法学においては国際的に共同研究が進められ、優れた成果を多数残している。しかし、「慰安婦」問題を考える時に現在の私たちを戸惑わせているもの、つまり、この問題に対する日本政府の姿勢が示す日本社会の認識と、韓国の人々による糾弾が示す韓国社会の認識の深い溝については、これまであまり説明されてこなかった。日本においては、日本政府の対応に関しては多くの論考があるが、韓国社会が「慰安婦」問題をどう捉えてきたのか、問題が告発されてからの30年の間にどのような変化があったのかについて検討したものは少ない。そこで本章では、韓国における日本軍「慰安婦」問題に対する認識枠組みの変化を、韓国の社会状況を踏まえて検討する。そのことにより日韓の認識の正体を考えてみたい。

1 日本軍「慰安婦」問題の提起──1991年まで

日本軍「慰安婦」問題が知られ始めたのは1990年代以降だと言われることが多いが、日本軍が「慰安所」を備えていたという事実は、日本においては敗戦直後から公然の事実であった。しかし、それが女性に対する暴力であり戦争犯罪であったという認識ではなく、男ばかりが集まる軍隊になくてはならない存在であったと考えられていた。戦前から続いていた公娼制度は1946年にGHQの指令により廃止されるが、赤線・青線と呼ばれる地域などで性の売買が行われ続け、1956年売春防止法制定以降は法の抜け穴をかいくぐる形で、性搾取を商品とする市場が発展してきた。

日本では1964年に海外への自由旅行が可能になり、1965年には韓国との国交を回復した。1970年代から韓国旅行が盛んになったがその多くは韓国の女性たちとパーティーをし、一夜をともにするというものであった(キーセン観光と呼ばれる)。当時、韓国に渡航する日本人の9割が男性で、女性は別行動を強要されたという記録もある。韓国政府もまた、外貨を得るために女性の性を利用する観光旅行に便宜を図っていた。

韓国の女性運動は、韓国政府及び経済界、そして金を払うことを理由に性暴力を行う日本の観光客を糾弾する行動を始め、1973年には日本の女性運動にも協力を要請し、金浦(キンポ)空港と羽田空港でのデモ行動などの活動を展開した。性暴力や性搾取は女性への暴力であり、犯罪であるという共通した認識をもった女性運動の日韓連帯が、1970年代にすでに始まっていたのである。この連帯活動はその後も継続して行われており、1988年には韓国・済州島(チェジュド)で女性と観光セミナーが行われた。

一方、梨花(イファ)女子大学教授の尹貞玉(ユンジョンオク)は、1980年代には日本軍「慰安婦」問題の実態を調査し始めていた。そして、前述した1988年のセミナーにおいて、「慰安婦」問題の真相解明のためにともに行動してくれるよう、韓国内の女性運動はもちろん日本の女性運動にも、要請を行ったのである。尹貞玉の話を聞いた女性たちは協力を約束し、すぐに行動に移した。ここから日本軍「慰安婦」問題解決運動が始まったといえる。

韓国では、1990年1月に尹貞玉が「挺身隊取材記」を『ハンギョレ』という新聞に掲載し社会的関心を集め、同年11月には37の市民団体が集まり、韓国挺身隊問題対策協議会(以下、挺対協。現在の、日本軍性奴隷制問題解決のための正義記憶連帯)が発足した。日本では、国会議員に働きかけ、国会で問題を取り上げてもらうことに成功したが、日本政府は、女性たちは民間業者が連れ歩いたものなので調査は難しい(1990年6月)、記録は見つけられない(1991年4月)と答弁するにとどまった。これらのニュースは韓国内でも大きな注目を浴びたが、とりわけ心を痛めながら見ている人たちがいた。「慰安婦」として戦場に連れて行かれていた被害当事者たちである。1991年8月、顔と実名を公開し、被害を証言した金学順（キムハクスン）は、「日本政府が、〔慰安婦は――引用者、以下同〕民間業者が連れ歩いたと言っているのを聞いて胸がつぶれる思いをした」ことを名乗り出た理由として語っている。同年12月、金学順ら9名の「慰安婦」被害者は日本政府を相手取り損害賠償請求訴訟を起こした。被害者らの訴えが公にされたことは各地で大きなニュースとなり、世界中から関心を集めた。それを見た他の当事者たちが、韓国内はもちろん、アジア各国から、オランダから、自身の被害を続々と告発し始めたのである。

2 韓国内の保守的な反応――1990年代～2000年代

被害当事者が名乗り出たことは、社会的に驚きをもって受けとめられたが、韓国のすべての人々が最初から日本軍「慰安婦」問題を女性の人権の問題であると理解していたわけではない。1990年代当初は、幼い少女が無理やり連行され、鬼畜のような暴力を受けたというイメージが先行していた。1991年12月に金学順らが東京地裁に提訴した訴訟についての見解を述べる新聞各紙の社説では、「慰安婦」被害にあった女性たちのことを「17〔歳〕の花のような年頃に挺身隊として南洋群島にまで連れていかれ、あらゆる辛苦をなめ侮辱を受けた」(『国民日報』1991年12月9日)、「奴隷狩りのような形で獣のように連れていかれ言葉にできない辛苦をなめた生きた証人」(『韓国日報』1991年12月11日)というように紹介している。

また、1992年1月に報道された、国民学校に通う12歳の生徒たちを女子勤労挺身隊として日本の工場に送ったという証言を「慰安婦」として被害にあったと誤認し、怒りをあらわにする人々も多かった(例えば『東亜日報』の1992年1月15日の社説では「この間、私たちは日本軍の従軍慰安婦として連れていかれむごたらしく残忍に蹂躙された挺身隊員たちの痛みと悲しみを呆然と推し量ってきた。しかし12歳の国校生〔小学生〕まで動員、戦場の性の慰めものとして踏みつけたという報道に再び沸き立つ怒りを抑えることが難しい」と断じている。この論調は他紙でもほとんど同じであった)。このような考えは「誰もそのかわいそうな亡国の娘たちを守ってあげられなかった」(『ハンギョレ』1992年12月25日)という主張が示すように、被害者をかわいそうな少女として客体化させたまま、鬼畜のような奴ら＝日本と、少女を救うべき我々＝韓国という家父長的なナショナリズムを刺激した。

一方で被害者を拒絶するような動きもあった。独立運動家の遺族たちと「慰安婦」問題解決運動との間で2008年に表面化した葛藤はその最たるものである。挺対協は、その歴史を記憶するための空間として博物館の建立を目指し、2003年から被害者たちとともに計画を進めてきた。そして、2005年にはソウル市が管轄する西大門(ソデムン)独立公園の中にある敷地を使用して博物館を建立することをソウル市と合意した。ソウルの中心部に位置する西大門独立公園は日本の植民地時代に作られた西大門刑務所の跡地を整備して1992年に作られた、約10万平方メートル(東京ドーム2.3個相当)に及ぶ広大な公園で、朝鮮の独立のために闘った人たちを記念する空間として重要な場所だと考えられている。その場所に「慰安婦」の歴史を学ぶ場所が作られることは、女性たちの被害を歴史の教訓として記憶し、未来の世代が女性の人権も含めた独立を考えるきっかけとなると期待された。

しかし、この計画に独立運動家の遺族たちの集まりである光復会(クァンボッフェ)が反対を始めたのである。2008年10月に計画が具体化すると、同年11月、光復会を中心として32の独立有功者団体が記者会見を開き、独立公園の中に博物館を建立することに強力に反対した。光復会の会長は博物館の建立自体には賛成するとしつつも、独立公園内に建立されることには強く反対すると主張し、その理由として、「数多くの独立運動家たちと独立運動を卑しめる「殉国烈士に対する名誉棄損」」であるとし、「日本人たちに先祖の悪行への反省どころか、かえって笑いの種を提供する」と述べた。さらに、光復会の事務総長は、「未来の主人公である我が国の青少年たちに正しい歴史認識よりも「わが民族は積極的な抗日闘争よりも日帝によって受難を受けただけの民族」であるという歪曲された歴史認識を植え付け、未来の世代に歴史的真実に対する困惑を与えうる」と主張した(『光復会報』第302号、2008年11月25日)。同日午後に女性団体が共同で開いた記者会見で述べられたように、「社会がいかに日本軍「慰安婦」被害者たちの痛みに無関心で、いまだに保守的なものさしで戦争被害者の女性たちをまなざしているのか」(挺対協声明文、2008年11月3日)ということがよく分かる一件であった。

以上のことからも分かるように、告発者の想いと同じ速度で社会の認識が変化するわけではない。認識の変化のためには日本軍「慰安婦」問題という個別の事案だけでなく、もう少し大きな認識枠組みの変化が必要であった。

3　性暴力・性搾取被害者支援システムの構築――フェミニズムの実践

性暴力に対する関心は、民主化闘争の時代から始まっていた(民主化闘争に関しては第1章及び keyword ❶ 参照)。1980 年代は闘争に参加した女性に対し、警察など公権力による性暴力事件が多発し、事件に対する問題提起が始まった時代である。1983 年は、全国で初めて女性への暴力に関する相談窓口(韓国女性の電話)が開設された。その後も性暴力事件が起こるたびに女性たちは対策委員会を組織し、事件の公正な解決のための関係各所への働きかけを続けたが、公になる事件が増えていくにつれ、女性に対する暴力事件に対応する常設の組織が必要と考えられるようになり、1987 年、韓国女性団体連合が結成される。また、1991 年には梨花女子大学で女性学を学んだ学生たちが中心となり韓国性暴力相談所が開設され、性暴力被害への支援体制を一層強化させていった。当時、性暴力は強かん罪と規定され、貞操に関する罪であるとされていた。事件の成立要件も曖昧で、親告罪で控訴時効があり、裁判の過程で被害者の人権が保障されないなど被害者にとって不利な規定となっていた。また、被害後のケアに関わる仕組みも存在しなかった。

女性への性暴力に対処するための法制定と仕組みづくりの必要性を痛感してきた女性団体は、1992 年 7 月に性暴力対策に関する特別法案を政府に提出し、全国で性暴力追放運動を行った。その結果、1993 年 12 月、性暴力犯罪の処罰及び被害者保護等に関する法律が制定され、1994 年 4 月に施行された。法律の施行により、性暴力に関する相談所やシェルターの運営が全国で始まり、各種の被害支援などを国の事業として体系的に行えるようになった。

一方で、女性の性を利用し利益を上げる性売買と呼ばれる事象が社会から注目を集めるのはもう少し時間が経ってからである。韓国においては日本の植民地期に公娼制度が持ち込まれた後、1948 年に米軍政により公娼制度は廃止され、1961 年に淪落(りんらく)行為等防止法が制定され、性を金銭取引の道具とすることは禁止されていた。しかし、米軍基地周辺や遊廓跡の地域に例外的に営業が認

「開福洞 2002 記憶、蝶の場所」(キム・ドゥソン作、現場で発見された鉄門と鉄格子をモチーフとした造形物、2015)
提供：性売買問題解決のための全国連帯

められていた時期もあったことにより、日本の状況と同様、性の売買は各地で公然と存在していた。1970 年代のキーセン観光反対運動や、1990 年代から米軍基地周辺での女性支援活動などの地道な活動が行われていたが、大きな問題とはなりえていなかった。

この問題が社会的なイシューとして浮上するのは、2 つの火災事故がきっかけである。2000 年と 2002 年に郡山（クンサン）で起こった火災事故で性売買当事者女性が合わせて 18 人亡くなった。両件とも、違法改築が行われ内部からは開けられないような仕組みになっていた建物の中で、女性たちは折り重なるようにして亡くなっていた。女性運動は事故の真相を解明するように訴え、性売買の実態についての調査も始める。真相究明の過程の中で、女性たちの身体を拘束して営業している実態を警察は知っていながらも、業者と癒着し犯罪を放置していたことが明らかになり、社会的な注目を集めるようになる。

2004 年 3 月に成立した性売買禁止法(性売買斡旋等行為の処罰に関する法律、及び性売買防止及び被害者保護法律の総称)は、「性売買、性売買斡旋等行為及び性売買目的の人身売買を根絶し、性売買被害者の人権を保護」(処罰法 2 条)し、「性売買を防止し、性売買被害者及び性を売る行為をした人の保護、被害回復及び自立・自活を支援」(保護法 2 条)することを目的としている。人権保護のための具体的な仕組みと予算を確保し、性売買に対する国家の責任を明記し、教育及び調査についても具体的に定めたことが重要である。

このように、性暴力や性搾取を犯罪とみなし被害者を保護する社会システムが、1990 年代から 2000 年代にかけて作られていった。2020 年の時点で、性暴力に特化した支援施設は相談所 169 カ所、シェルター 33 カ所、家庭内暴力(DV)に特化した支援施設は相談所 215 カ所、シェルター 65 カ所、性売買に特化した支援施設は相談所30カ所、シェルター40カ所、自活支援センター12カ所が運営されている。性暴力や性搾取を受けて支援を望む人はいつでも無料で、全国どこででも、支援を受けることができる仕組みが整っているのである。また、性暴力や性搾取の根絶は国家の責任であることが法律に明記され、予防教育にも取り組んでいる。国家機関や地方自治体、小中高校、公共団体では、セクシュアル・ハラスメントと性売買、性暴力、ドメスティック・バイオレンスに関する教育を行うことが義務付けられており、すべての子どもたちは学校でこれらの事柄について学ぶ機会を与えられている。また、後述する近年のミソジニー(女性嫌悪)や性暴力の告発の盛り上がりにより、2018年12月に女性暴力防止基本法が成立し、女性への暴力防止のために、より包括的に対応できるようになった。

4　過去清算の始まりと深まり――ポスト帝国主義の克服

韓国社会における日本軍「慰安婦」問題の認識の変化を考える際、フェミニズムの実践とあわせて見落とせない動きがある。ポスト帝国主義の克服という歩みである。

1990年に制定された光州(クァンジュ)民主化運動関連者補償等に関する法律をはじめとして過去に起こった国家犯罪に対する真相究明が、民主化以降に行われるようになった。植民地期の被害は、2003年に樹立された盧武鉉(ノムヒョン)政権になってやっと注目され始める。日本軍「慰安婦」問題については、日帝強占下強制動員被害真相究明等に関する特別法が2004年2月に制定され、同年11月に日帝強占下強制動員被害真相究明委員会が活動を開始した。この委員会では、強制動員された軍人・軍務員・労務者・慰安婦についての真相調査と被害審査、記念事業が行われた。2005年には、帝国主義支配とその後の軍事独裁政権の支配下で民衆が受けた被害についての調査と補償、記念事業などを包括的に行うために、真実・和解のための過去事整理基本法が制定され、真実和解のための過去事整理委員会(以下、真実和解委員会)を設置し、2010年まで活動を行った。2020年からは第2期の真実和解委員会が発足し、事件の真相により深く迫る調査と、その結果を未来に生かしていくための方策の検討を始めている。

司法においても、民主化以前の国家が関わった犯罪に関して、国家の責任を認定し、補償を命ずる判決が積み上げられている。特に、請求権の消滅時効という規定が事件の解決を阻んでいるとして、重大な人道に対する罪に対しては時効を適用すべきではないという議論が進んでいる。例えば、2014年に提起された、1970年代に米軍基地周辺で行われていた性売買について国家の責任を問う訴訟では、2017年1月に出された地裁判決で、韓国政府が主張する請求権の消滅時効は権利の濫用であるとして退けており、2018年2月に出された高裁判決でもその見解を踏襲した(2022年9月に最高裁において原審が確定された)。地裁の判決文では「真実を国家レベルで究明し過去を清算し和解を通じて未来に進まなければならない」という考え方が社会的に共有されており、「国際的にも重大な反人権行為に対しては控訴時効の適用を排除しなければならないという議論が続いている」(ソウル地裁判決文)ことを指摘しながら、請求権の消滅時効という規定は国家が犯罪の責任から逃れるために存在しているわけではないことが明示的に述べられている。

一方で日本との関係においては、状況はまったく改善されていない。日本国内で日本政府に謝罪と賠償を求めて起こされた「慰安婦」関連訴訟のうち、(在日を含む)韓国人が原告となったものは1991年から1993年の間に3件提訴され、いずれも2004年までに敗訴していた。日本の司法は被害事実を認めながらも、除斥期間(訴えられる期間が経過)や国家無答責(戦前の公権力による不法行為には国家は責任を負わないとする考え方。ただし金学順らの裁判ではこれは否定された)などを根拠として原告の訴えを退けていた状況であった。被害者たちは韓国政府に対して問題解決のために日本政府と交渉することを求めていたが、韓国政府は外交上の軋轢が生じることを理由にそれを拒否し続けた。そのため、被害者たちは2006年7月、韓国の憲法裁判所(行政や立法によって憲法上の基本的人権が侵害された場合、その行為が違憲であるかどうか個人が確認を求めることができる制度)に、韓国政府の対応が韓国憲法に違反するとして訴えを起こした。その結果、2011年に下された憲法裁判所の決定では、韓国政府の不作為が認定されている。

また、被害者たちは韓国の裁判所でも2015年と2016年に日本を被告として訴訟を提起した。この訴訟は2021年1月と4月にそれぞれ判決が下されたが、国際法の主権免除原則(他国の司法が他国の政府を裁くことはできないという原則)をめぐって判断が分かれている。2021年1月に出された判決は、日本が原告に対して不法行為を行ったと認定し、慰謝料の一部として原告それぞれに1億ウォンの支払いを日本政府に命じるもので、主権免除原則は重大な人道に対する罪に対して適用されないと主張した。判決はそもそも主権免除の原則は、「主権国家を尊重し、みだりに他国の裁判権に服従しないようにする意味」をもつものであり、「他国の個人に大きな損害を与えた国家が、国家免除理論の後ろに隠れ、賠償と補償を回避するよう機会を与えるために形成されたものではない」(ソウル地裁判決文)と述べている。しかし、日本政府は、主権免除原則を主張し、裁判そのものの有効性を認めず、判決は取り消されるべきだと主張している。一方で、2021年4月に出された判決は、1月の判決での主張とは真っ向から対立するものであった。4月の判決では、現時点では「外国である被告を相手に、その主権的行為に対して損害賠償請求をすることは許容されない」とし、主権免除原則を盾に被害者側の敗訴を宣告した(2021年1月の判決は敗訴した日本が控訴しなかったため判決が確定し、2021年4月の判決は敗訴した被害者側が控訴をし、高等裁判所での審理が続いている)。

以上のように、韓国国内では過去の清算を行うための試みが続けられてきた。済州島4・3事件や5・18光州民主化運動などをはじめとした軍事独裁政権による民間人虐殺事件については、大統領や警察庁が公式的な謝罪を継続的に行い、その事実を調査し、被害者に補償を行い、次世代に歴史を伝える努力が行われている。日本の植民地時代の権力機構を踏襲して韓国内で暴政を敷いてきた勢力が起こした民衆弾圧を清算し、その歴史を克服するための歩みを進めているのである。一方で日本との関わりにおいては、植民地期の問題はすべて解決済みであるという日本の一方的な主張により、暖簾に腕押し状態であるといえる。

5 人権問題としての日本軍「慰安婦」問題──2010年代以降

経済発展を掲げながら2008年2月に誕生した李明博(イ ミョンバク)政権は、発足直後から人々の生活を脅かしているという批判にさらされる。米国産牛肉の輸入制限緩和を推し進める政府に対し、若者を中心とした市民たちがNOを突き付ける大規模なデモが同年5月から7月にかけて行われた。この一連のデモは5

キャンドル少女
提供：非営利団体ナヌム文化

月2日に行われた集会で約1万5000人の中高生が集まり抗議の声をあげたことから始まっている(このことから一連のデモのモチーフは女子中高生の姿をした「キャンドル少女」である)。彼女ら／彼らは輸入された米国産牛肉が学校の給食で使われるという不安から、輸入制限緩和に反対を申し立てた。しかし、デモの規模が大きくなるにつれ、政府が暴力的な手段でこれを排除し、多数の負傷者や拘束者が出た。その後も李明博政権は任期を通じて市民たちとのコミュニケーションが不足しているという評価がなされ、その雰囲気は朴槿恵(パククネ)政権(2013〜17年)においても変わらなかった。市民たちは、政治は自分たちの不安や困難を顧みてくれていないと感じる時期を過ごしていた。

日本軍「慰安婦」問題は2000年以降もなんら前進を見せなかった。日本政府は対話拒否の態度を取り続けており、韓国政府も積極的に議論を進めようとはしていなかった。一方で、被害当事者や運動団体は粘り強く活動を続けており、1992年に始められたソウルの日本大使館前で行われる定期水曜集会は、2011年12月に第1000回を迎えるに至った。第1000回を記念して建立された平和の碑(少女像)が、運動の新たな波を生み出すことになった。

日本政府は日本大使館前に碑が設置されたことに不快感を示し、撤去を要求した。問題解決の訴えに応じないうえに、強い態度で碑の撤去を要求する日本政府の姿に、多くの韓国市民が違和感を覚えたようである。その後の数年にわたり、韓国内の各地で平和の碑が建立され、その勢いは海外にも波及していった。碑を建立するという活動は、目標が立てやすく結果が見えやすいという特徴があった。建立活動を通じて市民たちは日本軍「慰安婦」問題について学び、その問題点を自分自身の言葉で説明できるようになっていった。

運動が長く続けられるにつれ、被害当事者たちも変化していった。世界各地で現在も起きている内戦においても性暴力被害が続いていることに心を痛めていた被害当事者の金福童(キムボクトン)と吉元玉(キルウォノク)が、日本政府から自分たちに賠償金が支払われたらそれらの被害者のために使ってほしいと語ったことから、支援団体は、

第 1100 回水曜集会（2013 年 11 月 13 日）
撮影：筆者

2012 年 3 月に基金を設立した（ナビ（蝶）基金）。ナビ基金の最初の募金者は金福童と吉元玉で、広く一般からも募金を集めた。基金は、同年 5 月にはコンゴ共和国へ、2013 年からはベトナム戦争で韓国軍による性暴力被害を受けた人々への支援を開始し、現在も事業を続けている。

大学生が大挙して運動に加わったのもこの頃からである。2012 年に日本軍性奴隷制問題の解決のための全国大学生プロジェクトサークル平和ナビネットワークが結成され、全国の大学で活動が展開されてきた。この頃の大学生は、BSE 問題を受けて 2008 年の米国産牛肉の輸入制限緩和に対する抗議を行っていた中高生と同世代であった。おかしいと考えることに対し抗議の声をあげることは、彼女ら／彼らの日常から遠く離れたものではなかったのである。この頃の学生たちにとって日本軍「慰安婦」問題は、歴史問題ではありつつも、虐げられた人々への共感という意味合いが強かった。2014 年 4 月のセウォル号沈没事故を経て、そのような感覚は市民たちへと広がっていった。2015 年 12 月の日韓外相会談後の共同記者会見での「慰安婦」問題に関する合意文の発表がそれに追い打ちをかけた。被害者と関わりのないところで、「最終的かつ不可逆的な解決」を宣言した韓国政府の姿が、セウォル号で黙って待つように言い残して自分たちだけが助かった乗組員や事件の真相を隠蔽しようと試みる政府関係者の姿と重ならないはずがなかった。

一方で、2010年代の後半にはミソジニー(女性嫌悪)が大きな社会的イシューとなった。2000年代以降、女性に対するヘイトスピーチがオンライン上に蔓延していたが、2015年に韓国で中東呼吸器症候群(MERS)が流行した際、女性の身勝手な行動が感染を広げているという言説が広がるのを見た女性たちが、オンラインコミュニティ・メガリアを立ち上げた。メガリアはミソジニー言説の男性と女性を入れ替えて語るという戦略(ミラーリング)でミソジニー言説の不自然さを表現し、話題となった。多くの若い女性たちは自らが抱いていた違和感は、他の人も感じているものだったと気が付き、オンライン上で連帯が広がっていった。2016年5月に起こった江南(カンナム)駅殺人事件は、普段から女性に恨みを抱いていたという男性が見知らぬ女性を狙い、殺害した事件であった。事件の翌日には、現場近くの江南駅10番出口に花を手向けメッセージを残す人が現れた。追悼に集まった人たちは、自らが受けたミソジニー体験や性暴力の体験を語り始めた。このことは、多くの若い女性たちが、自分の話をしても大丈夫だと感じられるきっかけとなった。日本でもベストセラーとなった趙南柱(チョナムジュ)の小説『82年生まれ、キム・ジヨン』は、韓国では2016年に出版されたが、2018年までの2年の間に100万部を売り上げた。2018年に米国から始まった性暴力を告発する#MeTooムーブメントが韓国でも知られるようになると、このような雰囲気に拍車をかけた。現在の韓国社会では、性暴力は告発されなければならず、加害者は訴追されるべきであるという認識が常識となりつつある。2020年頃からミソジニーに基づくバックラッシュの動きが、フェミニズムに対しても、「慰安婦」問題に対しても出てきてはいるが、ここまでの大きな流れを変えるほどの力にはなっていない。

このような社会的な雰囲気の中、日本軍「慰安婦」問題は、女性への暴力であり犯罪であるという認識は、もはや広く大衆に受け入れられている。性暴力の加害者は当然訴追されなければならないと考えられているため、「慰安婦」問題は解決済みという日本の態度に対して違和感を覚える人が多くいるのである。韓国の人たちが「慰安婦」問題に対し強い反応を示すのは、日本が考えているような、反日ナショナリズムなどではなく、罪を犯した人々がきちんと裁かれていないことに対する反発であるといえる。

おわりに

ここまで、韓国社会の日本軍「慰安婦」問題に関する捉え方について、問題告発の背景を踏まえつつ、1990年代以降の社会変化をもとに検討してみた。キーセン観光という名の下で行われていた行為を女性への性暴力と捉え1970年代に日韓の女性たちが起こした共同行動を背景とし、日本軍「慰安婦」問題が提起された。被害当事者による告発は社会に大きな衝撃を与え、問題が一気に動きだしたが、社会はすぐには変わらなかった。1990年代から2000年代にかけては、日本軍「慰安婦」問題に関する社会の一般的な認識は現在のそれとは異なっていた。1990年代の初めには幼い少女の被害や暴力的に連行されたこと、日本兵の行為が鬼畜のようなものであったことが強調され、家父長的な韓国ナショナリズムを刺激したという点があったことは否めない。また、「慰安婦」の被害にあった女性に対して旧来のような視線を投げかける態度も残っていた。すなわち、被害者は同情すべき存在ではあったとしても、「汚れ」、「堕ちた」存在であるという考え方で、被害当事者を拒絶するような態度であった。しかしこのような考え方は、性暴力被害や性搾取構造に対するパラダイム変化と過去清算の深まりという社会的状況の変化によって、2022年現在では少なくとも主流ではなくなっている。日本軍「慰安婦」問題は、女性への暴力であり犯罪で、性暴力の加害者は当然訴追されなければならないという認識のほうが、主流となっているのである。

とはいえ、最近では日本軍「慰安婦」問題をはじめとする女性の人権を重視する問題提起に対する強烈なバックラッシュも目につくようになってきた。2020年5月から始まった正義記憶連帯に対するバッシングは、話題となったニュースの大部分がフェイクであったことが明らかになったのにもかかわらず謝罪や修正がなされておらず、毎週水曜日にソウルの日本大使館前で行われている定期水曜集会への妨害行為も続いている。2022年3月に行われた韓国大統領選挙で、女性家族部廃止などこれまでの女性政策を後退させることを公言していた保守系の尹錫悦(ユンソンニョル)が第20代大統領として選出され、同年5月から新政権を発足させたことも、注視する必要がある。韓国社会は今後も大きく揺れ動いていくことが予想されるが、女性に対する暴力への対応に関して、これまでの活動の系譜を念頭に置きながら議論される必要があるだろう。

一方で、日本の認識は1990年代と比べて変化は見られない。もしくは、後退しているといっても良いかもしれない。性暴力や性搾取に対する主流の考え方に変化はなく、性暴力や性搾取は女性への暴力で犯罪であるという認識を持てない人が多くいると感じることもある。帝国主義への反省はおろか、かつての戦争を美化する雰囲気が醸成されてもいる。国家と個人の関係は平等ではなく、個人が国家を裁くことはできないという考えも強固である。1990年代以降、韓国社会が培ってきたフェミニズムの実践とポスト帝国主義の克服という認識を、日本の政治家や知識人も含めた多くの人々は理解できていない。日本軍「慰安婦」問題において日本の態度と韓国の反応があまりにもかみ合っていない理由は、韓国のこのような認識の変化を日本が理解できていないという点にあるといえるだろう。

本章では、1990年代以降の韓国における日本軍「慰安婦」問題に対する認識枠組みの変化を、社会状況を踏まえて検討することで、この問題に関わる日本社会と韓国社会の認識の深い溝の正体について考えてみた。性搾取や性暴力をさまざまな理由をつけて正当化してきた／いる歴史と現在に対する告発が進む韓国の姿から、日本の状況についても考えてもらえたらと願う。日本軍「慰安婦」問題は決して過去だけの問題ではなく、現在の私たちの生活や社会にも密接に関係している。性暴力をきちんと裁けないこと、過去の歴史を反省的に振り返ることができないことは、まさにいまの日本社会の問題でもあるからである。

リーディングリスト

● **尹美香著、梁澄子訳『20年間の水曜日――日本軍「慰安婦」ハルモニが叫ぶゆるぎない希望』東方出版、2011年**(윤미향『20 년간의 수요일: 일본군 '위안부' 할머니들이 외치는 당당한 희망』웅진주니어 2010)

1992年1月から始まった水曜集会はソウルにある日本大使館前で、今も行われている。毎週水曜日、そこで何が行われてきたのか。被害者と活動家の歩みが分かる。

金富子・板垣竜太・日本軍「慰安婦」問題webサイト制作委員会編『Q&A朝鮮人「慰安婦」と植民地支配責任』御茶の水書房、2015年(이타가키 류타, 김부자, 역자 배영미, 고영진『'위안부' 문제와 식민지 지배 책임』 삶창 2016)

日本軍「慰安婦」問題に関するトピックを解説する本。歴史的事実から現代の認識の問題まで、幅広く解説されている。

韓国挺身隊問題対策協議会・二〇〇〇年女性国際戦犯法廷証言チーム著、金富子・古橋綾編訳『記憶で書き直す歴史——「慰安婦」サバイバーの語りを聴く』岩波書店、2020年(한국정신대문제대책협의회 한국위원회 증언팀『강제로 끌려간 조선인 군위안부들 4: 기억으로 다시 쓰는 역사』풀빛 2001)

被害者の証言集の日本語訳。内容は少し難しいが、被害を受けた女性たちが実際にどのように語っていたのかを感じることができる。

キム・スム著、岡裕美訳『ひとり』三一書房、2018年(김숨『한명』현대문학 2016)

被害者たちの証言集を引用した小説。「慰安婦」として被害にあったことを証言し、問題の解決を訴えてきた女性たちが相次いで亡くなるニュースに接し、書かれたものである。

Webサイト

アクティブ・ミュージアム「女たちの戦争と平和資料館」(https://wam-peace.org/)

Fight for Justice 日本軍「慰安婦」——忘却への抵抗・未来の責任 (https://fightforjustice.info/)

コラム　被害当事者と出会いつづけて

韓国にまったく縁がなかったわたしは、2000年、高校1年生の年に初めて韓国を訪れた。所属していたカトリック教会で、ミレニアムだから少し大きめの行事を、ということで企画されたカトリック青少年交流のための訪韓ツアーで、「慰安婦」被害当事者の方が共同で生活されているナヌムの家と、日本の植民統治時代に刑務所として使われていた西大門刑務所跡を訪れた。当時、ナヌムの家でお話を聞かせてくれた被害当事者の方は、流暢な日本語で経験を語ってくれた。お話に衝撃を受けたが、その詳細は覚えていない。それでも、その時にその方が語ってくれた「当時の日本人が憎いわけで、あなたたちが憎いわけではない。でもこの問題を解決しないでいる日本社会に責任がある」という言葉は、20年以上経ったいまでもわたしの考え方の核心にある。そこで学んだ残酷な歴史と、何も知らずに生きてきた自分と、優しくしてくれる韓国の人たちのギャップに打ちのめされた。ありふれた言葉であるが、日本人であることが恥ずかしかった。とはいえ、自分が日本人であることは絶対に変えられない事実であることも分かっていた。日本人のわたしとして韓国とどう関わっていけるのか、を悩み始めた。

その中でも特に衝撃的な出会いをした日本軍「慰安婦」問題は、わたしの問題であり続けた。ナヌムの家でのボランティアや日本での裁判支援活動を通じて、多くの被害当事者の人生に触れてきた。韓国の大学院に進学し、日本軍「慰安婦」問題の延長線上にある米軍基地村問題（米軍慰安婦問題）や現代の性売買・性搾取の問題の当事者の方々と出会ってからは、日本軍「慰安婦」問題の普遍性を強く認識するようになった。

20代前半のころに、「慰安婦」被害当事者の方と日々を過ごしたことはわたしの大きな財産だ。一緒にお酒を飲んだり、カラオケをしたり、買い物に行ったり、同じ部屋で眠ったり、時には大喧嘩もしたこと。その方たちの多くはもうこの世にはいないが、いまもいつでもわたしのそばでわたしの仕事を見守ってくれていることを感じている。20年後も30年後も、彼女たちのことを語り続けられるように、彼女たちに恥ずかしくない生き方をしたいな、と、日々思っている。

keyword ❸

日本軍「慰安婦」問題と日本政府

「慰安所」とは1931年頃から日本の敗戦までの間に日本軍が戦地に作った施設で、女性たちに日本軍の性の相手をさせた場所である。日本軍が侵攻したすべての地域に存在していた。これまで、朝鮮(大韓民国・朝鮮民主主義人民共和国)、台湾、フィリピン、中国、インドネシア、東ティモール、オランダ、日本から被害の名乗り出があったが、これ以外の地域出身の女性たちも多く被害にあったことが分かっている。1991年に韓国で被害当事者が名乗り出て日本政府を相手取り訴訟を起こしたことをきっかけとして、国際的に重要な問題として認識されるようになった。

「慰安婦」問題は現在も「解決」に至っていないが、日本政府は問題を告発されてから何もしなかったわけではない。1993年に発表した慰安婦関係調査結果発表に関する河野洋平内閣官房長官談話(以下、河野談話)では、日本軍の監督下で「慰安所」が運営されていたことや、多くの女性が意思に反して集められたことを認め、お詫びと反省を述べ、歴史の教訓として永く記憶にとどめることを表明した。このお詫びと反省を形にするものとして1995年に女性のためのアジア平和国民基金(以下、アジア女性基金)を設立し、お詫びを受け入れる被害者たちに償い金を渡す事業を展開した。さらに、歴史の教訓とするということについては、1997年度から使用された中学校の歴史教科書に「慰安婦」についての内容を記載することとした。

しかし、これらの試みは後日すべて失敗に終わっている。アジア女性基金は、被害事実の認定と謝罪、責任者処罰を求める被害者たちからの猛反発にあい、軋轢を解消できないまま2007年に事業が終了した。当時、中心となって事業を推進していた歴史学者の和田春樹も事業には数々の誤りがあったことを認め、少なくとも韓国と台湾では目的を達成することができなかったと述べている。歴史教科書の記載は、すぐに強い攻撃にさらされ、徐々に教科書から記述が消えていった。現在では、歴史の授業で「慰安婦」問題を扱った中学教諭が批判にさらされるなど、「慰安婦」問題を歴史の教訓とするような取り組みがなされているとは言いがたい状況である。また2014年には河野談話の検証が政府主導で行われ、談話の意義を骨抜きにした(外務省「慰安婦問題を巡る日韓間のやりとりの経緯」)。

つまり、日本政府は1990年代には「慰安婦」問題の解決について何かしらの対応を試みたが、結局は失敗に終わってしまったのである。2022年8月現在、外務省は、「これまで日本政府がとってきた真摯な取組や日本政府の立場について、国際的な場において明確に説明する取組」を続けていくことを表明しているが(外務省ホームページ「慰安婦問題についての我が国の取組」)、日本の対応が適切ではないため被害各国から反発が起こっていることを理解できていないようである。結果として、今日に至るまで日本軍「慰安婦」問題は、日韓間はもちろん、日本とアジア諸国との間で軋轢となり続けている。（古橋 綾）

第 II 部
歴史からいまを考える

4 韓国史教科書の歴史
――1945年以降2020年までの教科書叙述を通して

上山由里香

1 「韓国の教科書に触れる」とは

私たちはさまざまな場面で過去と接する。その中でも、教科書を活用して行われる小・中・高校での歴史の授業は、ほとんどの人が体験したことのある場といえるのではないだろうか。どのように教えられ、学び取ったのかという違いはあるだろうが、教科書を通して学ぶというスタイルは、多くの国が採用しており、韓国でも同様である。

日韓で過去の出来事に対して認識の違いがあり、それが問題化しているという事実は多くの人が実感していることだろう。顕在化し続けるこの問題に対し、私たちはどのように向き合うべきだろうか。本章では、日韓間の歴史問題に対する理解を深めるひとつの手段として、韓国の歴史教科書に目を向けてみる。直面する歴史問題を克服し、認識の違いをすり合わせる作業は、歴史研究者・教育者らにより、政府レベル(日韓歴史共同研究委員会)、民間レベル(日韓、日中韓共同歴史教材の編纂など)で行われてきた。しかし、日本で、韓国の歴史教育や歴史教科書に関心が向くようになってから、まだ日は浅い。前述の歴史共同研究が具体的に動き出したのは2000年代以降のことである。それ以前は一般の人々が韓国の教育事情(特に歴史教育)に接する機会もほとんどなかったと言える。ではいつ頃から日本で韓国の歴史教育や歴史教科書に目が向けられるようになったのだろうか。

1982年6月26日、日本の主要紙が文部省(現在の文部科学省)の教科書検定結果を大きく報じた。以下、本章では一連の出来事を「82年教科書問題」とする。それは、高校の歴史教科書検定で、中国華北地方への「侵略」を「進出」に、韓国の「3・1運動」を「3・1暴動」などと書き換えたという内容だった。実際、これはのちに誤報と明らかになるが、韓国や中国などでも大きく報じられ、日本の歴史認識や歴史教育に対する批判が溢れた。そして一国の歴史教科書の叙述をめぐり国際問題、外交問題へと発展することとなった。なお、この事態を収拾するために、日本政府は同年8月26日に「歴史教科書」に関する宮沢内閣官房長官談話を発表し、その後11月24日には近隣諸国条項の追加(教科用図書検定基準の改正)により一定の解決を試みるなどの対応を取った。

当時の韓国の新聞記事などを確認する限り、韓国では1970年代半ばから日本の歴史教科書叙述に対する批判や是正要求が行われていたが、「82年教科書問題」をきっかけに、それまで以上に日本の歴史認識や歴史教育に対し、不信感を抱くようになった。

同時期、歴史学界や教育学界で歴史対話による研究交流が具体化され始めている。日本では比較史・比較歴史教育研究会が発足し、この研究会が主体となって、日中韓の研究者・教育者が参加する「東アジア・歴史教育シンポジウム」(第1回：1984年8月28〜29日)や、「日韓歴史教育セミナー」(1991年7月29日)が開催され、自国の歴史教育や歴史教科書を題材とした課題や叙述分析などが共有された。その後、このような取り組みはさらに進展をみせ、特に日韓双方では日本史／韓国史を客観的に(外から)相対化する作業が行われるようになった。

このような国境を越えた研究交流進展の背景には、当然のことながら「82年教科書問題」があったといえる。そのような流れの中で、多国間での歴史対話の手続きには、相手の歴史教育や歴史教科書に対する理解が不可欠と考えられるようになったのである。今回、韓国の高校の韓国史教科書を読むという試みを通して、韓国の人々が韓国の立場からどのように歴史を見ているのかを確認し、日本を主体とした歴史理解をある意味相対化できるのではないだろうか。

本章では、1945年以降の韓国の教育制度や、それに伴って発行された韓国の高校韓国史教科書を概観する。

なお、ここで韓国史教科書で扱われている歴史的事実をすべて網羅することはできないため、1945年以降に編纂された韓国史教科書の中で、日本と韓国の間で歴史認識をめぐって問題となっている出来事である、徴用工や日本軍「慰安婦」などの民衆の戦時動員関連叙述にしぼってその変遷を追い、韓国の歴史教育を追体験していきたい。

2　教育制度と韓国史教科書

まず、韓国の教育制度とそれに沿って編纂された高校韓国史教科書の時期別の特徴などを整理しておく。

現在、韓国で学校教育における基本方針が定められたものが「教育課程」である。これは日本の学習指導要領に相当する。1955年の第1次教育課程以降、教育課程の全面的な改訂は第7次教育課程まで7回行われている。政権交代に伴って改訂された時期もあるが、基本的に改訂時期は不規則であり、2000年代に入ってからは必要に応じて部分的な改訂が施されている。以下、1945年の解放直後の状況から時系列に沿って見ていきたい。

教育課程が整備されるまで(1945～54年)

1945年8月15日、朝鮮半島は日本の植民地支配から解放されることになり、教育環境もその支配体制から脱することができた。しかし、教育環境全般の整備が急務となる。行政組織の再編、教育課程の設置、学校の開校、教員の養成、教材の開発など喫緊の課題が山積していた。朝鮮半島の教育行政を握っていた米軍政庁学務局は同年9月18日、新たな教育方針を規定し各地域に示した。これにより学校の再開の時期や各学校での教科目などが決められる。教材に関しては、韓国語で書かれた教材が準備できるまで外国語(日本語)の教材も使用可能という規定(「軍政庁学務局、新教育方針各道に提示」『毎日申報』1945年9月18日)が提示された。しかし、植民地期、日本の皇国臣民化政策が歴史教育にも影響を及ぼしていたため、朝鮮の人々の歴史が韓国語で叙述された歴史教科書は存在しなかった。そのため、教科目として歴史科目が設置されるも、韓国史教科書と呼べるものがなく、至急教科書を編纂しなければならなかった。

こうして、米軍政庁から委託を受けて初めて編纂された教科書『国史教本(中等用)』(震檀学会編、軍政庁文教部)が臨時教材として1946年5月に発行される。『国史教本(中等用)』以外にも、民間から発行されたさまざまな歴史書が韓国史教科書として使用されることがあった。この時期に韓国史教科書として使用されていた教科書は筆者が確認できただけでも30種以上にのぼる。現在のような教科書検定などもなく、そのほとんどが通史の単独執筆(現在では共同執筆が一般的)であり、目次構成、時期区分も執筆者ごとに違いがあった。多様な歴史書が韓国史教科書として使用されていたといえる。

その後、1946年9月から米軍政庁による教授要目(教科別の教育内容)が適用され教育課程、教科書編纂に関わる制度が整えられるが、その過程で朝鮮戦争が勃発(1950年6月25日)し、諸般の環境整備が停滞することになる。

なお、1945年8月以降教育課程が適用される1954年までは、1946年9月を基準にふたつの時期に分けられることが多い。該当時期の名称については多数議論があるため、本書では、1945年8月から1946年9月までを緊急措置期、1946年9月から1954年4月までを教授要目期とする。それ以降の時期区分は教育課程告示基準による。

教育課程の登場とその変遷(1954年から現在まで)

1955年8月、教育法の精神に準拠し第1次教育課程が制定される。なお、それに先立ち、1954年4月に「教育課程時間配当基準令」が公布されたため、一般的には1954年4月以降の時期は「第1次教育課程期」と呼ばれている。よって、本章でも同様の時期区分を用いる。

第1次及び第2次教育課程では、いずれも反共というキーワードがひとつの軸を成している。しかし、いわゆる反共教育は主に道徳教育を通して行われ、この時期の韓国史教育では、過去の文化史的要素からその民族性を強調し、確認することがより要求されていた。そのため教科書においても、政治、経済、社会、文化などを総合的に扱いつつも、主として民族主義的な歴史観が反映された内容で構成されていた。第1次教育課程以前の時期と同様、この時期の韓国史教科書も通史の単独執筆であり、それまで教科書執筆を担ってきた歴史家らが引き続き執筆にあたっている。

韓国史教科書は、第3次教育課程期に大きく変化することになる。まず、韓国史関連科目が社会科から分離され独立科目として設置される。国民学校(小学校)5、6年は「社会」(別途「国史」という教科目はなく、約半分の時間を国史教育に充てることが規定)、中学校2、3年及び高校は「国史」が必修科目となる。このような変化は、1972年10月の非常戒厳令に始まった朴正煕(パクチョンヒ)政権による維新体制を具現化するため、韓国史教科書の全面的な改訂が行われたことに起因する。それにより、第2次教育課程までは民間の著者、出版社による検認定教科書だったが、執筆基準などが改められ、編纂者は国史編纂委員会、第1種図書(国定教科書)研究開発委員会となり、文教部が著作権者となる国定教科書として単一化された。国定教科書は1979年3月より使用されるようになり、その後2010年頃まで教育課程の改訂(第4次教育課程から第7次教育課程)に伴い近現代史叙述を充実させたり、部分的な加筆修正が行われたりした。

1997年に告示された第7次教育課程により、韓国史教育は段階的に変化していく。最も大きな変化は、社会科の教科目に「国史」(必修)に加え、「韓国近現代史」(選択)が登場したことである。それに伴い、「国史」は従来通り国定教科書だったが、「韓国近現代史」は検定制度により教科書が編纂されることになった。これは画期的なことだった。第7次教育課程「韓国近現代史」科目新設の趣旨として、「歴史は近い時期の姿ほど、より鮮やかに私たちの胸に伝わる」とあり、特に近現代の歴史の中で韓国の人々が発揮してきた力を主体的かつ批判的に理解することに主眼が置かれるようになった。その後、2009改訂教育課程以降は近現代史に比重を置いた韓国史教科書が検定制度により編纂され、現在まで数回教育課程の改訂は行われているが、その編纂スタイルは維持されている。

ちなみに、朴槿恵(パククネ)政権時、2015改訂教育課程が告示され、それに従って再度韓国史教科書の国定化を決定し、実際に教科書も編纂された。しかし、歴史学界や教育界をはじめ韓国社会で支持を得られず、国定韓国史教科書は学校現場でも使用されることはなかった。

3　戦時動員関連叙述の分析

まず、本文中及び**表1**で扱う韓国史教科書や内容などについて、5点説明しておく。詳細については表1も参照いただきたい。

1点目は、分析対象の教科書についてである。表1で抜粋した教科書は、該当時期に編纂、使用されたすべての韓国史教科書ではなく、筆者が入手可能だったものなどを中心に、本文中で叙述分析対象とした教科書のみを一覧にしたものである。選定の際、各教育課程に伴って編纂された教科書の中でも系統的に叙述の変遷を追うことができる教科書を取り上げた。1945年解放直後から

表1　分析対象の韓国史教科書

番号	教育課程	書名、執筆者・訳者、発行者、発行年	種別
①	緊急措置期 (1945. 8-)	『国史教本(中等用)』震檀学会編、軍政庁文教部、1946年5月	—
②	教授要目期 (1946. 9-)	『わが国の生活(歴史)』李丙燾著、白映社、1950年5月検定[*1]	検定
③	第1次教育課程期 (1954. 4-)	『国史』李丙燾著、一潮閣、1956年3月	検定
④	第2次教育課程期 (1963. 2-)	『国史』李丙燾著、一潮閣、1968年1月検定[*1]	検定
⑤	第3次教育課程期 (1973. 2-)	『国史』国史編纂委員会、1種図書研究開発委員会編纂、国定教科書株式会社、1979年3月[*2]	国定
⑥	第4次教育課程期 (1981. 12-)	『国史(下)』国史編纂委員会、1種図書研究開発委員会編纂、国定教科書株式会社、1982年3月[*2]	国定
⑦	第5次教育課程期 (1987. 6-)	『国史(上)(下)』国史編纂委員会、1種図書研究開発委員会編纂、教育部、1990年 [翻訳書]『韓国の歴史―国定韓国高等学校歴史教科書』宋連玉、申昌淳訳、明石書店、1997年	国定
⑧	第6次教育課程期 (1992. 9-)	『国史(上)(下)』国史編纂委員会、1種図書研究開発委員会編纂、教育部、1996年 [翻訳書]『新版　韓国の歴史―国定韓国高等学校歴史教科書』申奎燮、大槻健、君島和彦訳、明石書店、2000年	国定
⑨	第7次教育課程期[*3] (1997. 12-)	『国史』国史編纂委員会、国定図書編纂委員会編纂、教育科学技術部、2002年 [翻訳書]『韓国の高校歴史教科書―高等学校国定国史』三橋広夫訳、明石書店、2006年	国定
⑩		『韓国近現代史』ハン・チョルホ他著、ミレエン、2003年 [翻訳書]『韓国近現代の歴史―検定韓国高等学校近現代史教科書』三橋広夫訳、明石書店、2009年	検定
⑪	2009改訂教育課程期 (2009. 12-)	『韓国史』イ・インソク他著、三和出版社、2011年 [翻訳書]『検定版　韓国の歴史教科書―高等学校韓国史』三橋広夫、三橋尚子訳、明石書店、2013年	検定
⑫	2015改訂教育課程期 (2015. 12-)	『韓国史』パク・チュンヒョン他著、ヘネムエデュ、2020年	検定

＊1　発行日が明確でない教科書は該当教科書に記載されている検定日を便宜上記入した。
＊2　該当教科書は、国史編纂員会のホームページ上で公開されているものを使用している。
＊3　第7次教育課程と2009改訂教育課程のあいだに、一度教育課程は改訂されている(2007改訂教育課程)。しかし、その教育課程に基づいた韓国史教科書は発行されなかったため、本章では便宜上、第7次教育課程の範囲を2009改訂教育課程が制定される時期までとした。

第２次教育課程まで韓国史教科書として使用された教科書は多数あるため、継続して教科書執筆を行っていた著者の韓国史教科書を分析対象とした。第３次から第７次教育課程の韓国史教科書は国定の場合は１種、検定の場合は数種ある。検定教科書については日本語の翻訳書があるものや入手可能だったものを優先的に使用した。

２点目は、書名についてである。表１では教科書名は『国史』、『韓国史』などと時期によって異なる名称が確認できるが、本文中では便宜上これらの教科書のすべてを「韓国史教科書」と表記している。

３点目は、本文中の各教科書引用部分についてである。引用元の表示方法は、紙面の都合上、表１の各番号のみと簡略化している。また、各教科書内容引用の際、第５次教育課程以降の韓国史教科書で日本語の翻訳書がある場合は、翻訳書から引用している。

４点目は、歴史用語についてである。日本の読者には見慣れない歴史用語や表現も多々あると思われるが、引用の際、日本で一般的に常用されている用語に変換、翻訳はせずに、基本的には韓国史教科書で使用されている用語をそのまま採用した。

５点目は、教育課程の時期と各教科書の使用時期についてである。このふたつの時期は完全には一致しない。教科書は通常、教育課程が告示されてから編纂作業に入るため、新しい教育課程に基づいて編纂された新しい教科書が、実際に現場で使用されるまでには数年を要する。表１でも教育課程の告示時期のみ表記し、その終わりの時期を明確にしていないのはそのような理由からである。

では、このような本文中で扱う韓国史教科書の性格や表１の扱いなどを踏まえたうえで、韓国史教科書における民衆の戦時動員（徴用工、日本軍「慰安婦」など）関連叙述の変遷を追ってみることにする。

戦時動員（軍人軍属、徴用工など）関連叙述の分析

軍人軍属、徴用工など民衆の戦時動員に関わる叙述に関しては、緊急措置期の教科書から叙述を確認することができる。「〔日本は〕志願兵制を強行し、私たちの青年を戦場に送り込み、それでも足りず、徴兵、徴用制度をつくり、私

たちの数多くの労働者を犠牲にしながら戦争を続けたのである」(①)とあるが具体的な徴用の実態に迫るような叙述は見られず、極めて基本的な事実だけが淡々と書かれている。その後、教授要目期、第1次教育課程期に入っても叙述内容に大きな変化は見られない。

第2次教育課程期に入ると、戦場や軍事施設、軍需産業における人的動員に対し、「彼ら〔日本〕のわが国に対する人的・物的資源の搾取とこれに伴う弾圧が一層激しくなり、志願兵制度を実施して青年をほとんど強制で軍隊に連れて行き、強制的な労務動員を行い、軍事施設や軍需産業場に徴用していった」(④)とあり、一連の人的動員において強制性が伴っていたという叙述が確認できる。

第3次教育課程期に入ると、韓国史教科書は検定制度から国定制度に変化する。この時の叙述は次の通りである。

〔日本は〕韓国人の労働力や資源の搾取をより強化した。この先頭に立ったのが、日本の軍閥と結託した三井、三菱などの財閥だった。〔中略〕日本は国家総動員令を施行し、戦争遂行のために韓国に人的、物的収奪と弾圧を加重した。〔中略〕中日戦争後に、いわゆる志願兵制度をつくると、太平洋戦争後には徴兵、徴用制度をつくって若者を集め、戦場や東南アジア一帯で、遠くはサハリンまで広がっていた日本の軍需工場や鉱山などに送り込んだ。そして、学徒志願兵制度を施行し、民族意識を持った大学生を戦場に連れて行き、このような学生を軍需労働力として動員した(⑤)

国定の韓国史教科書は第7次教育課程期まで続くが、関連叙述においては、第6次教育課程期までは「国家総動員令が施行され、その後志願兵制度、徴兵、徴用制度、学徒志願兵制度をつくりそのような制度を利用して、人々を強制的に集め、軍需工場などに送り込んだ」という文脈で書かれており、使用する用語などは多少変化するものの、歴史的事実の理解に深く関わる内容に関しては、大幅な変化は見られない。それにはいくつかの理由があると考えられる。

第一に、韓国史教科書の単一化は、教育における本質的な目的よりも政府の施策を教育に効果的に反映しようとする政治的目的と単純な行政業務上の便宜

表2　第7次教育課程期の韓国史教科書の目次構成

国定『国史』	検定『韓国近現代史』
Ⅰ．韓国史の正しい理解	1．韓国近現代史の理解
Ⅱ．先史文化と国家の形成	2．近代社会の展開
Ⅲ．統治構造と政治活動	3．民族独立運動の展開
Ⅳ．経済構造と経済生活	4．現代社会の発展
Ⅴ．社会行動と社会生活	
Ⅵ．民族文化の発達	

によって行われた。第二に、特に現代史部分において、政府の施策や成功を表立って広報したり、反共イデオロギーを徹底して注入するような、政権の正当性を擁護する立場が強調された。第三に、そしてそのような立場から、植民地期の叙述は、西欧的近代化論の立場から開化派を歴史の主流とし、民衆を補助的な存在として把握していた(金漢宗『歴史教育課程と教科書研究』ソニン、41-50頁参照)。そのため、民衆が戦場や軍需工場などに動員された歴史は叙述されてはいるものの、国定韓国史教科書においては周辺の歴史とされてきたため、詳細に叙述されることはなかった。

第7次教育課程期に入り、先述の通り韓国史教科書は大きく変化する。**表2**の目次構成を見てみると、国定『国史』では歴史を政治、経済、社会、文化に分類し、その分類に従って近現代までの歴史を叙述するという構成をとっているが、主として描かれているのは近世までの歴史である。そして、選択科目である検定『韓国近現代史』で植民地期の歴史を大幅に扱うという構成になっている。このような内容構成の変化に伴い、関連叙述も質的・量的に増加することになる。

国定『国史』では、大単元「Ⅲ．統治構造と政治活動」の小項目「日帝の植民政策」と「Ⅳ．経済構造と経済生活」の小項目「戦時総動員体制と植民地経済の破綻」で叙述が確認できる。しかしながら、第6次教育課程期までの叙述と比較して、質的に大きな変化があったとは言い難い。内容叙述及び構成において大きな変化が確認できるのは、検定『韓国近現代史』においてである。

まず、大単元「Ⅲ．民族独立運動の展開」、中単元「Ⅲ-1．日帝の侵略と民族の受難」の「3．民族の受難」、「4．経済収奪の深化」という小単元で叙述内容が確認でき、「戦場に送られる韓国の青年たち」という写真も挿入されている。この写真は小項目「3. 民族の受難　3-3 民族抹殺統治」の冒頭に置かれ、「資料 1 は日帝によって、戦場に送られるわが国の若者たちの姿である。汽車の窓から顔をだした彼らは頭の中で何を思っていたのだろうか」⑽という問いとともに、どのように韓国の民衆が戦争に動員されていったのかが説明されている。つまり、この問いかけを通して、民衆が強制的に戦争に動員された出来事を追体験させ、民衆の立場から考えさせることを試みているのである。

それまで事実のみを淡々と伝えていた歴史叙述が、この第 7 次教育課程期より、民衆の立場から歴史を考えさせるという構成をとるようになった。単なる歴史的事実を羅列するような叙述から、ひとつの物語として歴史を描くようになったともいえるだろう。

2009 改訂教育課程期に編纂された韓国史教科書でも「考えさせる」仕組みが強化されている。内容構成においては、それまでは書かれてある文章だけで歴史を理解するという傾向が主流であったが、この時の教科書からは、絵・写真・グラフなどを通して歴史に迫る手法が取られている。まず、単元導入として資料とともに考えたい問題を提示し、これから学ぶ内容の全般的な方向性が示される。そして、「資料を読む」、「歴史の窓」、「人物探求」、「補助学習」、「探求活動」というコーナーが随所に配置され、本文と関連する絵・写真・グラフなどを提示し、当時の人々の状況をリアルに感じることができるような工夫が施されている。

そのような構成の下、民衆の戦時動員関連叙述は、大単元「Ⅶ. 全体主義の台頭と民族運動の発展」、中単元「4. 朝鮮人の民族性を抹殺し、戦地へ送り込む」で叙述されている。この中単元では、朝鮮の人々が日本の植民地支配政策の下で精神的、物質的、身体的に植民地体制に包摂されていく様子が確認できる。民衆の戦時動員に関しては小単元「朝鮮の若者を戦地に送り込む」という身体的な包摂に関わる部分で扱われている。

本文を見ると、「最後には徴兵制度を実施し、敗戦までに約 20 万人の青年を強制徴集した」⑾とある。戦時動員と関連しこれまで具体的なその規模が記されたことはなかったが、「約 20 万人」と記された数字からその規模も把握することができる。

また、該当単元では**写真 1** も挿入されていた。「北海道開拓事業に強制徴用された朝鮮人土木労働者」との説明が付され、このような写真を挿入することで当時の人々の姿をよりリアルに感じさせることを目的としたと考えられる。この写真は当時の高校の韓国史教科書だけでなく、小学校の社会科教科書でも掲載されていた。しかし、この写真は、日本の『旭川新聞』1926年9月5日号に掲載された道路建設現場での虐待致死事件を報じた際の写真であることがのちに判明する。これらの教科書はすでに普及しており、「朝鮮人土木労働者」と誤って認識、掲載されていた写真が教育現場でどのように扱われたのかは判然としない。

写真1 『韓国史』イ・インソク他著、三和出版社、2011年、276頁に掲載された写真
出典：日本写真家協会編『日本写真史 1840-1945』平凡社、1971年、257頁

2022年現在、2015改訂教育課程に基づき編纂された韓国史教科書が2020年3月から使用されている。教科書編纂時期がちょうど韓国人元徴用工訴訟問題をめぐって日韓で大きな社会的イシューとなっていた時期でもある。社会的関心の高さの影響もあってか、内容叙述においては、より具体的かつ強制動員の実態を鮮明に伝えるために証言資料などを用いたり、動員された場所や規模などを叙述し、当時の状況をいっそうリアルに体感させる構成となっている。大単元「3. 日帝植民地支配と民族運動の展開」、中単元「14. 戦時収奪により窮乏が日常化する」の中の「強制動員はどのように行われたのでしょうか？」で関連叙述が確認できる。また、「B・C級戦犯」に関する叙述などを通して、当時の状況だけではなく、戦後彼らが置かれた状況についても考えさせる内容構成となっており、本文叙述に加え、考えるコーナー「戦犯裁判の二重性」も設置されている。

女性の戦時動員（日本軍「慰安婦」、挺身隊など）関連叙述の分析

では、次に日本軍「慰安婦」、挺身隊など、女性の戦時動員関連叙述につい

て見ていく。これらの内容は長く韓国史教科書では扱われていなかった。1950年4月に検定通過した『わが国の生活(国史部分)』(申奭鎬、東国文化社、213頁)では、「全国の老若男女はもちろん、徴用、あるいは徴兵、あるいは学兵、あるいは護国隊、あるいは挺身隊などとして連れて行き」といった叙述は確認できるものの、その後、長い間民衆の戦時動員を叙述する中で「女性」が語られることはなかった。

初めて女性の戦時動員に関する言及がみられるのは、第4次教育課程期の『国史(下)』である。小単元「日帝の民族抹殺政策」の中で、志願兵制度、徴用制による強制動員に触れた後、「女性まで侵略戦争の犠牲になったりもした」(⑥)という一文が付け加えられている。被害の具体性までは明確に示されていないが、侵略戦争の犠牲者として女性の姿が韓国史教科書に初めて登場した。

徐々にではあるが、叙述は質的・量的に増加し具体的になっていく。第5次教育課程期の『国史(下)』でも、小項目「民族抹殺統治」の最後の一文に「女性までもが挺身隊という名目で連行され犠牲となったのである」(⑦)とあり、続く第6次教育課程期の『国史(下)』でも「民族抹殺統治」という小項目内に、「女性まで挺身隊という名で強引に連行され日本軍の慰安婦として犠牲になった」(⑧)とある。この時初めて「慰安婦」という言葉が韓国史教科書に登場した。しかしこの時点の叙述では、「挺身隊＝慰安婦」と同一視していたとも読める。

日本軍「慰安婦」叙述の登場は、1991年8月14日に元慰安婦であると金学順さんが自ら名乗り出たことも影響していると思われるが、実際、1996年9月に発行された第6次教育課程『国史(下)』に反映されるまで実に5年近くかかっている。これにはさまざまな理由が考えられる。教科書は新たに教育課程が告示されてから、実際に教科書が編纂されて学校現場で使用されるまで数年かかる。また、歴史学の研究成果が反映されもするが、一方で政府の統一見解や通説的な内容が重視されやすいという性格ももっている。

第7次教育課程期に入ると、一気に写真や資料を活用した具体的な叙述へと変化する。国定『国史』(必修科目)では、小単元「日帝の植民政策」の中で「若い女性を挺身隊という名前で強制動員して軍需工場などで酷使し、その一部は戦線に連行して日本軍慰安婦とする蛮行を犯した」(⑨)という数行程度の叙述と、「戦場に強制的に連行された韓国人日本軍慰安婦」という写真の提示に留まっている。しかし、『韓国挺身隊問題対策協議会教育資料Ⅰ』を参考に書かれた「日本軍慰安婦の実情」を示す内容が、本文とは別の「読み物資料」として提示されている。誰がどのような場所に、どのような方法で連れて行かれ、どのようなことをさせられたのか。そして、当時の状況だけでなく、戦後、元日本軍「慰安婦」として生きて来た苦悩などを叙述しながら、日本軍「慰安婦」になった背景から影響までを把握できる内容が盛り込まれている。

検定『韓国近現代史』(選択科目)では、中単元「Ⅲ-1. 日帝の侵略と民族の受難」の中で、数カ所叙述が確認できる。本文中では「女性や子どもたちまで動員するなど人的資源収奪に狂奔した」(⑩)とあり、「資料3：学習の手助け」でも「戦争末期には女子挺身隊勤労令を公布して数十万人の女性を軍需工場で働かせ、そのうちの多くの若い女性を戦場に送って軍隊慰安婦とした」(⑩)とある。さらに、これらの叙述とは別に独立して小単元「5. まだ進行中の軍隊慰安婦論争」が設置され、見開き2頁(⑩)にわたり日本軍「慰安婦」に関する内容が扱われている。そこでは「日帝が国家的次元で軍隊慰安婦を強制動員する反倫理的蛮行をおこなったことを理解する」という学習目標を掲げ、写真や元日本軍「慰安婦」の証言を用いて当時の状況を想起させるとともに、史資料を活用しながら、この問題がまだ解決されていないという問題提起がされている。日本政府がこれまでどのような対応をしてきたのかという点についても触れられている(第3章、**keyword ❸** も参照いただきたい)。一点注目すべきは、「資料3：学習の手助け」の叙述にもあるように、この時点でも「挺身隊＝慰安婦」と同一視する傾向があったことである。

この時期の教科書で学んだ高校生は、少なくとも歴史教育の中で日本軍「慰安婦」の存在を把握することができたと言える。大きな違いと言えば、検定『韓国近現代史』ではこのような歴史的事実が現在進行中の問題として存在しており、女性の人権や地位についても考えさせるという仕組みを取っている点にある。国定『国史』だけを学んだ学生にとっては、日本軍「慰安婦」の存在を単なる歴史的事実としてのみ記憶されても不思議ではない。

2009 改訂教育課程期の韓国史教科書ではどのように変化したのだろうか。第7次教育課程期は国定『国史』と検定『韓国近現代史』という2つの教科書が存在していたため、特に検定『韓国近現代史』では日本軍「慰安婦」の叙述を大幅に増やし、内容的にも考えさせるという仕組みをつくりながら充実した内容叙述が可能だったが、2009 改訂教育課程の下では近現代史中心の『韓国史』教科書が編纂され、検定『韓国近現代史』の時のような叙述は実質的に不可能になってしまった。

この時の叙述内容は、小単元「朝鮮の若者を戦地に送り込む」の中で、「日帝は侵略戦争を遂行しながら女性も戦争に動員した。初めは法的根拠なしに朝鮮の女性を動員していたが、戦争末期になると女子挺身勤労令をつくってこれを制度化した。挺身隊として動員された女性は軍需工場で集団的な強制労働をした。そして相当数の女性は戦地に送られて日本軍の軍隊慰安婦として利用された」(⑪)という叙述が見られる。そして、教科書の最後の方に「私たちが克服すべき東北アジアの歴史摩擦」という単元が設置され、「日本の戦争責任問題はいまだ未解決の課題だ」(⑪)という項目の中で、日本軍「慰安婦」の動員に日本政府や軍隊の関与を示唆する一文がある。

2022 年現在、日本軍「慰安婦」叙述は、今回分析対象とした教科書では、大単元「3. 日帝植民地支配と民族運動の展開」、中単元「14. 戦時収奪により窮乏が日常化する」の中で扱われている。これまで韓国史教科書では、基本的にまず全体的な戦時動員のことを書き、最後に日本軍「慰安婦」について触れるというスタイルがほとんどだった。しかし、まず、単元導入で金学順さんの証言を提示し、小項目「日本軍「慰安婦」問題とは何でしょうか？」で約 1 頁(⑫)を割いて、日本軍「慰安婦」を扱っている。そののちに、徴用工関連叙述が続く。これは日本軍「慰安婦」問題に対する韓国の社会的関心度がそのまま反映されているようにも思える構成である。またこれまで、挺身隊や日本軍「慰安婦」は、同一視されたり、混同するような叙述が見られたが、この時点では明確に区別されている。

おわりに――歴史(認識)問題と向き合うために

日本の教科書でも民衆の戦時動員については叙述されている。しかし、それぞれの国の事情などもあり、使用される用語や叙述内容はさまざまである。一方の立場からしか叙述しない／できないために、歴史的事実に対する解釈や理解に違いが生じ、結果としてそれが歴史認識の違いをある意味で助長させているのかもしれない。

ここ最近、韓国では「東アジア史」(2012年から)、日本では「歴史総合」(2022年から)という科目を新たに設置することによって、一国史叙述からの脱却を試みている。つまり、共通の出来事に対する同時性や共時性という視点をいかにそれぞれの国がつくる教科書に盛り込むのか、が問われているといえる。また、「望ましい教科書」をつくるのは重要だが、現実的に受験との関係や教師の資質によっても、学生たちの学び方には違いが生じる。また、歴史学の研究成果をすぐに反映することができない事情など、教科書は常に多くのジレンマの中に置かれている。

日本では韓国の歴史教育が「反日教育である」というイメージで語られることも多い。何をもって「反日教育」と規定するのかという問題をおいても、そのようなイメージを一度取り除いて、韓国史教科書を手に取り読んでみてほしい。幸い、韓国史教科書は日本語版が多く出版されている。韓国の人たちはどのような歴史を学んでいる／きたのか、韓国ではどのような歴史教育を行っている／きたのか、どのような出来事がどのような立場から書かれているのか、教科書を読みながら肌で感じてほしい。同じ時代の歴史であっても、聞きなれない用語や人物も多く登場すると実感するだけでも、日韓での歴史の見方の違いに気づかされるだろう。歴史(認識)問題と向き合うということは、韓国史教科書を眺めてみることからも始められるし、その試みだけでも意味があると思う。立場の違う相手の見方を知ることにこそ、価値があるのではないだろうか。

リーディングリスト

表1の韓国の教科書の日本語版

これら翻訳書(いずれも明石書店刊)は、韓国の教科書を追体験できる。それぞれの教科書の特徴や以前の教科書との違いなどにも触れられている「訳者のあとがき」も参考にしていただきたい。

坂井俊樹『現代韓国における歴史教育の成立と葛藤』御茶の水書房、2003年

1945年以降1990年代までの歴史教育の歴史について、精緻かつ貴重な史料に基づいた分析により、単に制度的な側面にのみ焦点を当てるのではなく、時期ごとの歴史学における葛藤や課題にも触れられている。

金漢宗著、國分麻里・金玹辰訳『韓国の歴史教育――皇国臣民教育から歴史教科書問題まで』明石書店、2015年(김한종『역사교육으로 읽는 한국현대사 (국민학교에서 역사교과서 파동까지)』책과함께 2013)

金漢宗(キムハンジョン)氏は韓国における歴史教育研究の第一人者であり、教科書執筆者でもある。韓国での歴史教育、歴史教科書をめぐる対立やさまざまな議論についても概観することができる1冊である。

『第2期日韓歴史共同研究報告書　教科書小グループ篇』(2010年3月公開)

第2期日韓歴史共同研究委員会(2007年6月発足)教科書小グループの報告書である。日韓政府レベルでの歴史対話に触れることができる。報告書は日韓文化交流基金のホームページからダウンロード可能。

日中韓3国共通歴史教材委員会編『未来をひらく歴史――東アジア3国の近現代史』高文研、2005年

日中韓3国の歴史研究者、教育者によって初めて共同編纂された歴史教材である。日中韓3国の歴史対話によるひとつの成果を確認できる1冊。

コラム　韓国の歴史教育や歴史教科書と出会って

なぜ過去の出来事をめぐる認識に違いが生じるのか、なぜ歴史問題は終結・解決しないのか、歴史認識の違いを克服するためには何をすべきか、歴史問題における解決・和解とは何なのか。

韓国の歴史教育や歴史教科書に対する関心がわいたのは、このような問題意識からだった。それはちょうど2002年9月に小泉首相が北朝鮮を訪れ、日朝首脳会談が行われた頃だった。当時大学生だった私は、朝鮮半島に対してなんの知識もなく、恥ずかしいことに日本に暮らす在日コリアンという人々の存在すらほとんど知らなかった。

自分がどのような歴史教育を受けてきたのかもぼんやりしていたが、さまざまな情報を通して日韓間で歴史問題が以前から存在しているということは認識できた。同時に、歴史問題に誠実に向き合うためには、問題の本質を知り、自分でその問題について考えることができる見識をもつことが必要だと考えるようになった。

いま考えればとても漠然とした考えで大学院へ進み、韓国研究を始めた。そんな時、『未来をひらく歴史』(高文研、2005年)という本に出会った。これは日中韓3国共通歴史教材委員会により編纂された教材だった。現在私もこの教材委員会のメンバーとして編纂に携わっているが、このような共同研究の存在に院生の私は衝撃を受けた。なぜこのような歴史対話が可能だったのか、その経緯などを聞くために関係者のところへすぐインタビューに行った。

そのように自分の関心を発展させる中で、韓国の人々の歴史に対する向き合い方を理解する必要があると感じ、韓国の歴史教育や歴史教科書研究へ足を踏み入れ、いまにつながっている。

「違いを理解する」ということが私の中での一貫したテーマであり、課題である。韓国の歴史教育や歴史教科書に対する研究を深める中で、さまざまな違いに触れることができた。異なる認識に対し、決してすべてに同意することはできない。しかし、それを理解することで、その認識の違いを克服する努力へとつなげていけるのではないか。

5 古代史像と朝鮮観
——新羅にとって唐や倭(日本)とは何だったのか?

植田喜兵成智

1 古代史像と現代日本人

現代日本人は朝鮮半島をどのようにみているのか。最近であれば、韓国のポップカルチャーなどからイメージを形成した人もいるだろう。一方で、朝鮮半島の歴史についての知識をベースにしている人もいるにちがいない。あるいは、韓国ドラマや映画などへの関心から、朝鮮の歴史を学ぶ機会を得た人もいるだろう。だからこそ、必ずしも人々に意識されていないかもしれないが、現代日本人の朝鮮観の根幹には朝鮮の歴史をどのようにみるのかということがあると思う。この朝鮮の歴史に対する知識や認識に不足、誤解、偏見があれば、そこから形成される朝鮮観も当然、いびつなものとなる。

例えば、近代日本による朝鮮の植民地支配をめぐる歴史認識問題は、そうしたゆがんだ朝鮮観を直接的に反映する。植民地近代化論のように、日本が朝鮮を植民地支配することで朝鮮が近代化したという言説などのことである。しかし、現代日本人の朝鮮観を形成するのは近代史の知識だけではない。古代史の知識や理解も大きく影響している。場合によっては、淡々と事実として伝えられる古代史の知識のほうが、無意識下に日本人の朝鮮観に与えている影響は大きいのではないか。もしかしたら、近代史の知識を学び、日本の植民地統治を批判的に捉える人であったとしても、気づかないうちに通俗的な古代史像に囚われているかもしれない。

日本の教育課程で日本史や世界史を履修した人ならば、そのなかで古代の日本が朝鮮半島と深い関わりがあったことを学んだはずである。歴史に関心があれば、広開土王碑、仏教伝来、渡来人、白村江(はくすきのえ)の戦いなどのキーワードを記憶していることだろう。広開土王碑は、391年に倭が渡海して高句麗(こうくり)と戦ったことを伝えており、記録の少ない4世紀の日本を知る貴重な史料とされる。仏

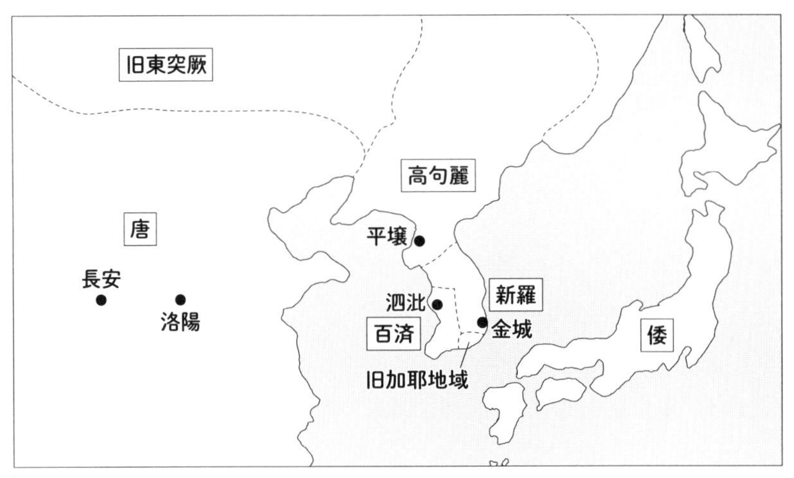

7世紀の東アジア情勢(660年基準)

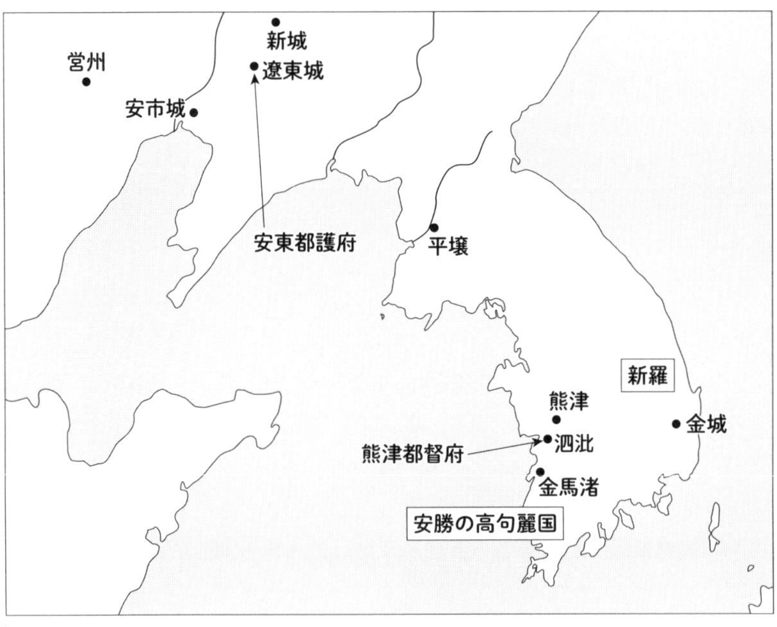

朝鮮半島の重要拠点(670年基準)

教も公式には百済（くだら）から伝来したとされる。渡来人は、朝鮮半島や中国大陸から日本列島に移住した人々で、漢字、法律、建築技術などさまざまな知識を日本に伝えたことで知られる。そして663年の白村江の戦いでは、百済復興軍と連合した日本は、唐と新羅（しらぎ）の連合軍と戦うものの敗退する。以後の日本の対外政策の転換点となった。

このように教科書的な記述を参照すると、古代日本が朝鮮半島から多くの影響を受けたことが示されている。しかし、ここで現れてくる朝鮮半島は、あくまでも日本の視点からみたものである。なぜ広開土王碑に倭人のことが記されているのか、どうして百済が日本に仏教を伝えたのか、なぜ白村江の戦いが発生したのか、渡来人がどのような背景から日本にやって来たのかなどの問題について朝鮮半島の視点からは説明されていない。朝鮮はあたかも日本の歴史的事象、歴史の展開を説明するために存在するかのようである。

一方、朝鮮と中国の関係に対する認識も、ついつい日本本位に捉えがちである。特に、朝鮮を中国より一段低くみなす傾向は、現代日本においても根深い。こうした認識の背景にも古代史認識があると考えられる。最も典型的なものが天皇号の問題である。日本の天皇号は古代、遅くとも8世紀初頭には成立した。そのさい日本は、中国の「皇帝」と対等であることを志向して「天皇」号を称したと考えられている。一方、当時の朝鮮半島の王朝である新羅では、皇帝より格下である「王」号を用いていた。さらに新羅は、唐の王朝から冊封を受け、臣下を称していることなどからも、一見すると唐王朝に「従属」していたようである。そうなると、自然、新羅の王は日本の天皇よりも格下の存在とみなされることとなる。ここに「王」を称する朝鮮の歴代王朝を、中国王朝から自立できない存在、かつ朝鮮は日本よりも劣後の位置にあるものとしてみなす朝鮮観の根源がある。

日本人の多くは、これまで「都合のよい他者」として朝鮮を捉えてきた。つまり、日本の歴史的展開を説明するために朝鮮を用いたり、あるいは日本の相対的地位を高めるために朝鮮の王朝を格下とみなしたりしてきた。こうした古代史像が近代日本人の朝鮮観の根幹にある。朝鮮は、中国から自立することのできない「他律」的、「後進」的な存在とされ、日本人の朝鮮人蔑視を醸成し、ひいては日本が朝鮮を植民地支配することの正当化にもつながった。

近代日本の「朝鮮観」を克服する試みはこれまで幾度となく繰り返された。1960〜70年代、朝鮮民主主義人民共和国の学者からの提起を受けて行われた古代史像の見直しや、そこから展開した実証研究が積み重ねられ、偏見に満ちた朝鮮観が批判されてきた。それでも、現在に至るまで十分に払拭されたとはいいがたい。世の中に出まわっている一般書には朝鮮の歴史や、古代の新羅について言及されたものがあるが、近代以来の「都合のよい他者」としての朝鮮観を踏襲したものや、学術的にも大いに問題があるものが多い。そこで、本章では、唐王朝に「従属」し、その後の朝鮮王朝と中国王朝の関係を規定したとされる新羅を中心に見ていきたい。実際のところ新羅は、唐や倭(日本)のことをどのように見ていたのだろうか。

2　朝鮮三国の抗争と中国王朝

新羅の対中国、対日本関係を知るためには、その前段階の時代状況も把握しなければならない。新羅に先行して勃興した高句麗と百済の対中関係を見てみよう。

高句麗は、紀元前に卒本(中国遼寧省桓仁)で勃興し、のちに丸都(中国吉林省集安)、平壌へと遷都した。313年、中国王朝が朝鮮半島内に設置した行政機関である楽浪郡と帯方郡を滅ぼし、4世紀末〜5世紀にかけて広開土王、長寿王の二代にわたってその領域を大きく拡大した。その過程で中国王朝と交渉や対立を繰り返して成長する。当時の中国王朝は分裂状態にあり、高句麗は南朝と北朝の両方に朝貢し冊封を受けた。しかし、中国王朝に臣従していたわけでも、常に友好的な関係にあったわけでもなかった。高句麗は固有の秩序と天下観を有していた。414年に建てられた広開土王碑には独自の年号を用いる。そもそも年号制定は、建て前として中国皇帝にのみゆるされた権限であった。さらに415年頃に建てられた中原高句麗碑には当時従属させていた新羅を「東夷」と呼んでおり、明らかに自らを「中華」に準ずるものと規定していた。

一方、百済は、朝鮮半島西南の馬韓諸国より勃興し、漢山(現在のソウル)を都とした。4世紀に成長すると、高句麗と抗争を繰り返すようになる。371年には平壌城を攻撃し、高句麗王を戦死させるほど隆盛した。しかし、5世紀以降は高句麗の勢力に押され、熊津(公州)、泗沘(扶余)へ南遷していく。百済は、高句麗に対抗するため中国南朝に朝貢し、冊封を受けた。また、倭に七支刀を贈り、7世紀に至るまで続く友好関係を構築した。

三国のうち新羅は、高句麗、百済に比べると遅れて朝鮮半島東南部の辰韓諸国の一つとして発展し、10世紀に滅亡するまで金城(慶州)を王都とした。5世紀までは高句麗に従属する状況であり、単独で中国王朝と通交することも難しかった。5世紀後半から百済と協力して高句麗と対抗するようになり、521年には百済とともに南朝の梁に朝貢している。この時点までは高句麗や百済よりも劣勢にあったといってよいだろう。6世紀になって、新羅は国内体制の整備と領土拡大が進み、朝鮮半島南部の加耶地域を編入していく。加耶の地域は、中国史書に弁韓と称された小国家群であった。加耶は日本列島とも深い関係があったが、新羅は百済とこの地域の支配権をめぐって対立していた。さらに高句麗から百済がとりかえした漢山地域を攻略する。こうして協力関係にあった百済と対決することとなり、554年には管山城の戦いで百済の聖王を戦死させている。高句麗、百済にも対抗できる勢力を得た新羅は、単独で外交使節を派遣し、564年には北朝の北斉に、568年には南朝の陳に朝貢する。

このように6世紀中盤には高句麗、百済、新羅の三国が朝鮮半島において角逐する状況が出現した。朝鮮三国は、自らの勢力を拡大し、他の勢力に対抗するために、中国の南北朝のそれぞれに朝貢していた。あくまでも自国の戦略上の都合で中国王朝との関係を結んだのである。三国の抗争に変化が現れるのは、中国において南北朝が隋によって統一されたことによる。

581年、隋は南朝の陳を滅ぼして、中国を統一する。これによって、中国王朝の分裂状態が終結し、東アジアに隋を中心とした国際関係が形成されていく。朝鮮三国もその動きに早くから対応しようとしたのか、統一前の581年に高句麗、百済が、統一直後の594年には新羅が隋に朝貢している。

ところが、情勢は不穏な動きを見せる。高句麗が遼西の営州(中国遼寧省朝陽)を攻撃する。このとき隋の文帝は高句麗遠征軍を派遣するも、高句麗の嬰陽王が謝罪したことで戦役は終結した。しかし、つづく煬帝は、北方で一大勢力をほこる突厥と高句麗が連合して対抗してくることを恐れ、執拗に高句麗遠征を実行した。3度にわたる高句麗遠征は、高句麗にも損害を与えたが、隋にとっても大きな負担となり、国内で反乱が続発した。結果、煬帝は殺害され、隋は滅亡する。

隋にかわって中国国内を統治したのが唐である。唐は、高句麗との関係を修復し、朝鮮三国と友好関係を構築していく。初め隋滅亡後の混乱収拾と内政に注力した唐は、国内の情勢が安定すると、外征にも力を入れ、630年に東突厥、640年に高昌国を滅ぼした。北方と西方に脅威となる勢力が消滅すると、次に唐は朝鮮半島へ視点を向けていく。

3　新羅の対唐外交と百済・高句麗の滅亡

唐の軍事的脅威が高まるなか、朝鮮三国でも動きが起こる。642年、高句麗ではクーデターが発生した。首謀者の泉蓋蘇文(せんがいそぶん)は、国王と重臣を殺害して新たに宝蔵王(ほうぞうおう)を擁立し、自らに権力を集中させる。集権化を進めることで、唐からの圧力に対抗しようとしたのである。また百済でも政変が発生した。新たに即位した義慈王(ぎじおう)は、王族と有力者を粛清して権力を固めると、新羅西部の領土を攻略した。

高句麗と百済の動きは、新羅を圧迫することになった。劣勢に立たされた新羅は、唐と接近することによって、百済と高句麗に対抗しようとする。唐との外交を主導したのが金春秋(きんしゅんじゅう)、のちの武烈王(ぶれつおう)である。金春秋は、百済義慈王の攻撃を受けた後、高句麗に同盟を求める使者として赴くも、拒絶されてむしろ新羅と高句麗の対立は決定的となる。そこで活路を見出したのが唐との外交であった。642年、金春秋は唐に赴き、当時の唐皇帝太宗(たいそう)・李世民(りせいみん)に謁見した。そこで両者は親密となり、李世民は金春秋の援軍要請を受けて出兵を約束した。

新羅としては、百済と高句麗の軍事的脅威があり、これに対抗するという思惑があって唐に接近した。一方の唐は、東方地域への進出、つまり高句麗征服の思惑をもっていた。この時ちょうど新羅と唐は、高句麗を敵とする共通の認識をもっていたのである。実際、唐太宗・李世民は、645、647、648年に高句麗遠征を行ったが、どの遠征も高句麗を征服することはできず、649年に没した。新羅にとっては、脅威である高句麗がそのまま温存され、さらに連年、領域を侵犯してくる百済にはまったく損害が与えられていない状態であった。

当時、新羅にとって切実な脅威は百済であったと推測される。毎年、新羅と百済は交戦していたため、唐の軍事援助もより直接的には百済に向けられることが望ましいものであった。しかし、唐の主目的は高句麗征討であり、この点は新羅と齟齬があった。

同時期、新羅も国内で変化が起きていた。647年、国内の反乱を鎮圧すると、金春秋が実権を掌握する。そして、唐の衣冠制を導入し、唐の年号を使用することとなる。それまで新羅は、独自の年号を使用していたが、ここに廃止したのである。これには、唐の影響下に積極的に参入することを表明し、唐からの援助をさらに引き出そうとした意図があったものと考えられる。いわゆる親唐政策をとった金春秋は654年に即位し、唐に接近する政策は継続されていく。太宗の子である高宗・李治の代になって新羅の要望は実現する。

660年、ついに唐は百済遠征軍を派遣する。新羅も唐軍と共同して百済を攻め、首都泗沘を陥落させ、宿敵であった百済を滅ぼした。しかし、百済旧領土には遺民(亡国の民)が活動を続けており、さらに倭の援軍がそれを援助する状況であった。新羅としては、この百済地域を鎮定することが重要であったが、唐はすでに目標を変え、本来の目的である高句麗征討へとふたたび舵を切りつつあった。661年、そうした続く混乱のなかで武烈王・金春秋が没し、子の文武王・金法敏が即位する。

百済滅亡後、新羅と唐は表面的には協力する関係であったが、実際にはすれ違いが生じていた。新羅は旧百済地域の鎮定、唐は高句麗征討を第一としていたのである。そのため、唐は新羅に高句麗遠征への協力を要請しつづけ、新羅は百済と高句麗の二方面での軍事的負担を強いられた。663年、百済地域での反乱が高句麗遠征の妨げになる、という唐の宰相・劉仁軌の献策が受け入れられて、唐は百済地域に軍隊を派遣することとなった。唐・新羅連合軍は、百済・倭連合軍と戦い勝利した。いわゆる白村江の戦いである。

白村江の戦いによって、百済遺民の活動は終結したかのようにみえるが、百済の遺民の活動は別の形で継続していく。百済を滅亡させた際、唐はその地に熊津都督府という統治機関を設置した。その長官である都督に唐の官僚を派遣していたのだが、白村江の戦いの後に方針を転換させ、百済の最後の王である義慈の子の扶余隆を熊津都督に任命した。このように唐が占領した地域の旧王族を占領機関のトップに据えて支配することを羈縻といい、占領地の人心を安定させ、円滑に占領する統治方式であった。百済の地と人々は、もとの百済王の子を迎え、新たな支配を受けることとなったのである。ある意味で百済が唐の支配下で復活したともいえる。

こうした唐の措置に対して新羅は不満をもっていた。唐は、新羅王・金法敏と熊津都督・扶余隆を会盟させ、両者を対等の存在としてとりあつかったのである。これが新羅と唐の関係にとっても大きな禍根となる。

668 年、唐は泉蓋蘇文の没後に発生した内紛に乗じ、高句麗の首都平壌を陥落させた。これによって、唐は第一目標を達成したのである。朝鮮半島情勢はこれで安定していくかに見えたが、新たな局面へと向かっていく。

4　新羅の三国統一と羅唐戦争

唐は高句麗を滅亡させたが、その旧領に対する統治は順調でなく、高句麗遺民たちの反乱を招く。670 年には鉗牟岑(かんぼうしん)という人物が、高句麗の王族である安勝(あんしょう)を擁立して、大規模な反乱を引き起こす。そして、この反乱を新羅が援助する。唐と協力して高句麗を滅ぼした新羅が、唐に対抗する高句麗遺民の反乱を援助するという不可解な動きに見える。

前節でみてきたように、新羅と唐の関係は絶対的に友好なものとはいえない。唐が新羅を支配していたわけでもなく、新羅も唐に「従属」していたわけではない。その関係はあくまでも思惑が一致したことによって、一時的に目的を共有しているに過ぎなかった。そして、高句麗滅亡というきっかけによって、新羅と唐の対立が表面化したのである。

新羅と唐の間での不穏な動きは、高句麗滅亡からの半年後、669 年 5 月に新羅が「欽純(きんじゅん)と良図(りょうと)を派遣して唐に謝罪した」という『三国史記』の記事に見える。『三国史記』とは、12 世紀に編纂された朝鮮古代に関する官撰の歴史書で、当時の新羅側の記録が多く残されている。その史料では前後に説明がなく、突如として新羅が唐に謝罪するのだが、翌年正月に「〔唐の〕高宗は欽純の帰国をゆるすが、良図は捕らえて獄死させた。新羅王が百済の土地や遺民を略取したことで、皇帝が怒り、使者をとどめ置いたためである」という。つまり、新羅が旧百済領を侵略したというのである。旧百済領は、唐が設置した熊津都督府が置かれており、これを新羅が侵犯することは、唐に対する敵対行為となる。

新羅による熊津都督府攻撃は、唐の百済故地に対する措置に新羅が不満をもっていたという背景がある。熊津都督に扶余隆を任命したことに新羅は強い警戒感をもっていた。またそれだけでなく、新羅は百済故地を新羅領に編入することを望んでいたとされる。『三国史記』に収録された文武王答書という唐の詰問に対して新羅王が返答する書状において、新羅側は唐と百済の領土分割に関する約束があったと主張する。当時、唐の皇帝である太宗・李世民は「朕が高句麗を征伐しようというのは、ほかの事情があるわけではなく、新羅が〔百済・高句麗の〕両国にはさまれてつねに侵略され、安寧な年がないことを憐れむからである。山川や土地は私がむさぼろうとするものではなく、玉帛や子女もすでにもっているものである。もし私が両国を平定したら、平壌以南の百済の土地を新羅に与え、ながく平安をもたらそう」といい、百済領は新羅に帰属するものと約束したという。この約束が実際に存在していたかどうかは史料上、知ることはできないが、このような理屈をもって新羅は旧百済領を攻め、唐と敵対することになったのである。

すると、新羅が高句麗遺民の反乱を援助した背景も頷ける。唐は、立場上、熊津都督府を新羅に侵略されるかぎり、これに対応しなければならない。一方で、高句麗の遺民の反乱が発生した場合、唐本国により近い高句麗の反乱を鎮圧しなければならない状況でもあった。だからこそ、新羅は唐軍の行動を制約するため、高句麗遺民を援助したのである。

実際、唐軍は高句麗遺民の反乱鎮圧に時間をとられ、その隙の670年7月に新羅は熊津都督府を占領してしまう。唐の軍隊が新羅軍と接触したのは翌年の7月以降であった。その後、新羅と唐は数年間戦闘を繰り広げる。唐軍は、各地で新羅と高句麗遺民の連合軍を撃破するが、新羅軍も頑強に反抗し、676年には伎伐浦で唐軍を破って以降、戦闘は終結し、熊津都督府、安東都護府も朝鮮半島から撤退した。戦争が終結した背景には、新羅の文武王が謝罪使節を派遣して唐の面子を守ったこと、そして同時期にチベット方面で吐蕃が隆盛し、唐の西辺を脅かしたため、唐が再度の軍事行動に移らなかったこともあったようである。一般的にこの羅唐戦争を経て、唐の勢力を朝鮮半島から駆逐したということで、いわゆる新羅の三国統一は成立したとされる。

またこの戦争中に新羅は高句麗遺民に対して注目すべき措置をとっている。670年8月、新羅王が安勝を高句麗王に冊封したことである。冊封というのは、本来、皇帝が周辺勢力首長に官爵を与え、君臣関係を結ぶ行為であり、中国の皇帝にのみゆるされる行為であった。名目上、唐から冊封された新羅の王にはその権限がない。これは明らかに唐の皇帝に挑戦するかのような行為である。安勝の高句麗国は683年まで存在した。最終的に新羅が安勝の高句麗国を併呑したことで、理念的にも三国を統一することとなった。

新羅と唐の関係は、羅唐戦争終結の過程のなか、唐皇帝が新羅王を再度冊封した時点で修復されたとみなされがちである。しかし、その時点では唐は新羅を再度征討する計画をもっており、新羅側も唐に敵対する姿勢を崩していなかった。ようやく新羅は690年代に至って、唐と再び接近した。これも、当時、新羅が領域を北方へと拡げていく過程にあったこと、それと同時に旧高句麗領に渤海（ぼっかい）が建国され、その存在を新羅が警戒しなければならないことなどが背景にあったものであり、新羅の現実的戦略にのっとった対唐外交であった。新羅と唐の友好的な関係は、唐が滅亡する10世紀初めまで継続する。このことも、新羅が唐に冊封を受けて、それに従属している関係であったわけではなく、あくまでも新羅の必要から唐の冊封を受け、友好関係を維持していたことは留意しておかなければならない。

以上、新羅の対唐外交をみてきた。新羅は、たしかに唐に接近するために、自らの独自年号を廃止し、唐の衣冠制を導入した。これは一見すると、唐に従属することになったかのように見える。しかし、それはあくまでも形式的なことであり、百済と高句麗に対抗するという、新羅の現実主義的な外交戦略の一環であった。新羅にとって唐とは、自らの戦略上のパートナーであり、かつ競争しうる相手でもあった。

5　新羅と倭(日本)の関係の虚実

目を東に転じて、新羅と倭について見ていこう。7世紀の両者の関係は、けっして友好的なものではなかった。そもそも7世紀以前から倭はたびたび朝鮮半島情勢に関わっている。最も代表的な事例が鉄資源を求めて朝鮮半島南部の加耶地域と深い交流をもっていたことだろう。加耶には、かつて「任那（みまな）日本府」という倭朝廷の統治機関が置かれ、倭に支配されていたという言説も存在した。この前提に基づいて、諸史料が解釈された過去もある。例えば、冒頭で紹介した広開土王碑に、391年、倭がやってきて百済と新羅を「臣民」にしたという記述があり、これは当時の朝鮮半島に倭が進出していたことの反映と考えられ、「任那日本府」説を裏付けるものとされてきた。「任那日本府」に関する記録は、倭が朝鮮三国に対して優位にあったことを示すための『日本書紀』による虚構であり、その説は現在否定されている。しかし後段でも検討するとおり、この『日本書紀』による造作が曲者である。

5世紀、新羅の勢力はまだ弱く、高句麗に対抗するために新羅は百済と同盟を結んだ。ところが、高句麗の圧力を脱したのち、新羅は自立傾向を強め、6世紀に大きく領域を拡大していく。そして加耶地域への進出をもくろむ新羅と百済は対立した。結果は、前述したとおり百済の敗北に終わり、562年、加耶は新羅に編入された。

加耶をめぐる問題において、倭は百済の側に立ち、自らの権益を維持しようとした。百済との協力関係は基本路線となり、新羅とは対立していく。実際に倭は新羅に軍隊を派遣したこともあった。百済・倭対新羅という構図は7世紀の朝鮮半島情勢にも影響を与える。

7世紀において倭が朝鮮半島情勢に直接的に関わった最大の事件は白村江の戦いである。660年、百済が滅亡すると、その遺民は王朝再興をめざして軍事蜂起し、倭から王族の扶余豊章(ふよほうしょう)を迎えて王に擁立する。倭も軍勢を派遣して、唐と新羅の連合軍と戦ったが、敗北したことは前述のとおりである。これによって倭は朝鮮半島での影響力を失い、新羅が朝鮮半島を統一していくものとして、日本史の視点からしばしば語られる。

しかし、白村江の戦いにおける倭の敗退によって新羅が朝鮮半島を統一したという見方は、きわめて日本本位の解釈である。新羅の立場から見ると、長い三国抗争の過程における一コマに過ぎない。あくまでも百済や高句麗との戦いの延長戦、あるいはそれに包含されるものであり、さらにいえば最終的な唐との決戦が控えていた。したがって、白村江の敗戦で倭の影響力が失われなければ新羅の統一はなかったかのように語ることは、いかに一面的なものかわかるであろう。そしてこの見方には新羅より優位な倭という図式が隠されている。

倭優位の歴史像が成立した背景には、7世紀後半の新羅の外交姿勢が関わってくる。新羅は、670年代、唐との戦争に備えるため、後方の安全を確保する必要があった。そこで、倭と通交し、できるだけ友好関係を築こうとした。倭の立場からしても、白村江の敗戦後、警戒しなければならない唐と新羅のうち一方が誼を通じてきたことは、外交的にも好都合であった。

新羅は、670～700年の間、他の時代と比べて例にないほど頻繁に倭に使者を送った。逆に、倭も新羅にしばしば遣使し、時には留学生も送り出した。これは、単に両者の関係が親密であるというだけにとどまらず、倭は新羅の外交姿勢を受けて、自らの都合のよいように利用した。対唐戦争を遂行中の新羅にとって、倭との関係改善は切迫した課題であった。そのため新羅は、倭側の要求に応じなければならず、倭に対して低姿勢で、かつ倭を上位とした形式をとることとなった。

この外交姿勢によって、新羅が倭(日本)に従属し、朝貢してきたという認識が生まれる。8世紀初頭、倭が国号を日本と改めて天皇制が成立した時、天皇を中国の皇帝になぞらえ、「中華」の主たる日本に周辺勢力が「蕃国」として朝貢することが権威の向上と維持のため不可欠となった。その役割を担わされたのが新羅である。このことは、720年に編纂された『日本書紀』に象徴的に現れる。『日本書紀』においては、神功皇后以来、「三韓」を「征伐」して高句麗、百済、新羅を服属させたという叙述がある。神功皇后の三韓征伐は、明らかに伝説に属するものであるが、8世紀当時の日本が新羅をはじめとした朝鮮諸国を「蕃国」とみなしていたことを意味する。このように倭・日本は、新羅を格下の存在としたのである。

倭・日本は、新羅からの外交アプローチを自身に都合よく利用した。実際に新羅は、唐の軍事的脅威にさらされ、日本に下手に出なければならなかったのだろう。しかし、その一方で新羅王は、「王」を称してはいるものの、高句麗王を冊封したように皇帝のごとくふるまっていたことを忘れてはならない。さらに、倭が唐と疎遠であった7世紀後半、倭は新羅に多くの留学生を派遣して制度や文化を学んだ。特に701年に制定された大宝律令は、702年まで遣唐使の派遣が無かったことから、唐から直接的に受容したのではなく、頻繁に交渉のあった新羅からの影響で成立したともいわれている。明らかに新羅の立場からすると、自らが「文明国」の立場であった。また興味深いのは、新羅が日本に「朝貢」した時、日本側に贈った品物である。金属容器、仏像、絹製品、香薬などの品物は、唐が周辺国に贈った物と同じ種類であり、新羅王が高句麗王安勝に贈った品物とも類似する。自国の先進性と優越性を日本に示していた可能性がある。特に、安勝の高句麗国の事例に注目すると、新羅の立場からは、倭・日本を「従属国」としてみなしていたのかもしれない。このように、新羅と日本の虚と実が入り混じった関係が見え、互いに相手の行動や態度を自身の都合のよいように解釈して利用したものとみられる。

両国の関係はやがて破綻する。8世紀、新羅が唐との関係を改善すると、日本の重要度は低下する。その一方で、日本は新羅を従属国とみなしつづけ、それに応じた外交形式を新羅に要求する。しかし、新羅は、低姿勢を貫いてまで日本との友好を維持する必要性を失いつつあり、関係は疎遠となった。8世紀後半には日本が新羅征討の計画を立てるほど険悪なものとなり、最終的には外交関係は途絶してしまった。その後、国家の管理には収まりきらない貿易やそれをになう商人へ交流の主体は移行していく。

以上みてきたように新羅の対外関係は推移した。そのなかでも多くの日本人が新羅に見出しているのは、実に「日本」にとって都合のよい部分だけであった。「自立できない新羅」、「中国王朝に服属した新羅」、「日本に朝貢してきた新羅」という像は、近代あるいは現代の日本人にとって侮蔑的な朝鮮観を正当化するには好都合だったのである。今に至るまでかつての先入観そのままの古代朝鮮観を有している人がいるのではないか。あるいは、朝鮮時代が舞台の歴史ドラマにおいて君主が「王」とされ、「殿下」と呼ばれる場面をみて、皇帝や天皇と比べて「陛下」と呼ばれない姿を格下の存在として朝鮮を認識した視聴者もいるのではないか。彼らが、ふと自身の古代史知識を思い出すか、インターネットで検索するかして、その淵源を短絡的に新羅に求め、古代以来、自立できない劣った存在として朝鮮をみなしてしまい、かつての朝鮮観を再生産していないだろうか。

一方で、こうした先入観は日本だけにとどまらない。韓国においても新羅が「日本に朝貢した」点については虚構であるとして批判できたとしても、唐王朝に冊封された新羅を「中国王朝に服属した」として否定的に捉える視点を克服できていない。そのため、新羅は、自立できなかった存在とみなされ、唐に頑強に抵抗した高句麗の人気が高く、新羅はいまひとつである。だが決して、史料をみるかぎりでは、新羅は唐に「従属」していたとみなすことはできない。その時代、そのつどの政治的課題に応じて唐とつきあっていたのである。

このように古代朝鮮像の問題は現在でも克服されておらず、それは現代人の我々にも根深く生き残っている。だからこそ近代日本の思考とその残骸を解析していくと同時に、現代人にも染みついた古代認識を解体するために、古代の史料研究も疎かにできないのである。

リーディングリスト

● **盧泰敦著、橋本繁訳『古代朝鮮　三国統一戦争史』岩波書店、2012年(노태돈『삼국통일전쟁사』서울대학교출판부 2009)**

原書は2009年に韓国で出版された。640年代から説き起こし、新羅が百済、高句麗、唐といかに戦って、三国を統一したのかについて整理した通史。現在の韓国学界におけるもっともスタンダードな学説が踏まえられている。韓国学界の見解を日本語で把握するのであれば本書から始めるのがよい。

● **李成市『闘争の場としての古代史——東アジア史のゆくえ』岩波書店、2018年**

朝鮮古代史の専門家である著者の2冊目の論集。古代史像がいかに近代につくられたものであるかを論じた第1部「国民国家の物語」に収録された3篇の論文は、古代の歴史認識を学ぶのであれば必読である。

● **古畑徹『渤海国と東アジア』汲古書院、2021年**

渤海史を中心に研究してきた著者の論文集。表題は渤海であるが、本書に収録された「七世紀末から八世紀初にかけての新羅・唐関係」は、新羅を主軸とした対唐、対日関係がよく整理されている。7〜8世紀の東アジア情勢の推移を理解するのであれば一読を勧める。

● **植田喜兵成智『新羅・唐関係と百済・高句麗遺民——古代東アジア国際関係の変化と再編』山川出版社、2022年**

これまであまり注目されてこなかった百済遺民や高句麗遺民の動向をふまえて、7〜8世紀の新羅・唐関係史を主題にした研究書。近年中国で新たに出土した墓誌史料を活用した最新の見解を提示している。

コラム　古代朝鮮に出会うまで

歴史が好きな少年であった。地元に赤穂浪士や加藤清正のゆかりの寺や史跡があったからかもしれない。そしていつのころからか朝鮮の歴史、言語、文化に惹かれていた。父親との会話だったか、学校の先生の余談であったか、どこかで日本の歴史、言語、文化の起源は、朝鮮から来ているという話を聞いたのである。いまにして思えば、金達寿(キムダルス)『日本の中の朝鮮文化』(講談社)や藤村由加『人麻呂の暗号』(新潮社)などのベストセラーの影響を受けた大人たちだったとわかる。

中学生時代、転任してきた先生が突如として自身が師範を務めるテコンドー部をつくった。朝鮮の文化に触れてみたいという動機で入部を決めた。練習の中で、当然ながら朝鮮語が出てくる。ここから俄然語学に興味をもち、高校受験の勉強そっちのけでNHKハングル講座を見ながら独学を始める。3年生の時の英語の教科書(三省堂ニュークラウン)には、ハングルを紹介する単元があり、この時すでにハングルを読み書きできていたので、クラスで驚かれたというよりも「変人」扱いされた。その時に同級生から「韓国語って中国語の方言じゃないんだ」と言われた経験は、もしかしたら私の研究テーマのどこかに生きているのかもしれない。

高校は、第二外国語に朝鮮語を選択できる学校を選んだ。2年生の時、無事に初級を履修できたのだが、3年生の時、中級の授業が履修希望者不足で開設されないことに決まりかけた。そこで私は校長先生に談判し、紆余曲折を経て開設された。このように熱心に朝鮮語を勉強しながらも、この時点までは将来的には日本の歴史を研究したいと考えていた。当時の私は、あくまでも日本の歴史や文化の源流としての朝鮮に関心があったのだと思う。「日本人」として「日本史」を勉強するほうが自然だと思っていたフシがある。これは「内向き」な発想であり、私の「朝鮮観」が非常に観念的であったからだと思う。

大学入学後、当初の予定どおり日本史を専攻するつもりであったが、朝鮮史への関心は失っていなかった。全学部共通の教養科目として「朝鮮古代の社会と文化」という授業があり、それを履修した。そこで「朝鮮を通じて日本を「外側」から見る視点」の重要性が説かれた。ここで自身の歴史への見方、朝鮮に対する視点が、いかに日本の内部だけで「閉じた」ものであったかに気づかされた。これが朝鮮古代との出会いであり、私の行く道を決めた。

6 韓国文学研究という営み
──玄鎮健「故郷」を手がかりに

相川拓也

はじめに

大邱(テグ)からソウルへ上がる車中での出来事だ。わたしは向かいに座った彼をじつに興味深く眺めつづけていた。トゥルマギ〔朝鮮服の外套〕のように「キモノ」をまとい、その下からはキャラコのチョゴリ〔朝鮮服の上衣〕がのぞき、下半身には中国式のズボンを履いていた。それは向こうでよく着られている、油紙のようにテラテラとした暗褐色の生地でできたものだった。そして足には布を巻いてわらじを履き、「ゴブガリ」〔五分刈り〕にした頭には帽子もかぶっていなかった。偶然に、時には奇妙な集まりができあがるものだ。わたしたちが着席したボックスには、奇しくも3国の人が揃っていて、わたしの横には中国人が寄りかかっていた。彼の横には日本人が座っていた。

玄鎮健(ヒョンジンゴン)(1900〜43年)の短篇小説「故郷」(1926年)の冒頭部分である(拙訳、以下同じ)。南部地方の大邱からソウル(当時、日本の植民地支配により付けられた「京城(けいじょう)」という名前でも呼ばれた)へと北上する京釜(キョンブ)線の汽車の車内。「わたし」は、一緒に乗り合わせた男の奇怪な身なりについて、服の着方から素材に至るまでを細かく描写していく。朝鮮服の上に日本の着物を巻きつけ、中国風のズボンを履いたその男は、布を巻いた足元から察するに、長旅の途上であるらしい。「기모노」(キモノ)や「고부가리」(ゴブガリ)といった服装や髪型の特徴があえてハングル表記の日本語で書かれているのは、朝鮮服に髷を結い、笠(カッ)をかぶっていた人もまだ多かっただろう当時にあって、その風体の異質さを強調する表現である。その男と向き合って座っている4人がけのボックス席に、実に

見事な偶然から、中国人と日本人が乗り合わせていることに、ここでの「わたし」は気がついている。

現代の読者にとって、これは小説の始まりを告げるなにげない書き出しに見えるかもしれない。しかしこの書き出しは、日本による植民地支配とともに「近代」への転換を遂げた朝鮮半島のさまざまな歴史的経験への格好の入口となるものである。これから見ていくように、玄鎮健の「故郷」は、支配者や権力者の視点からではなく、その時代を生きた人々の経験に寄りそって植民地時代の朝鮮を理解しようとする人にとって、多くの示唆を与えてくれる。本章では、その「故郷」を手がかりに、そうした歴史的経験の一端を「文学研究」という切り口から覗いてみることにしたい。

1　玄鎮健と「故郷」

玄鎮健は 1900 年、大邱に生まれた。雅号は憑虚(ピンホ)。朝鮮の開国と近代化に際して地方有志として浮上した家系の出身で、当時の朝鮮の風習にのっとって満 15 歳になる 1915 年に結婚し、翌 1916 年から 1919 年まで、東京の成城中学や上海の滬江(ここう)大学で留学生活を送る。朝鮮に戻った後の 1920 年、小説家としてデビューし創作活動を展開するかたわら、新聞記者として言論活動にも携わる。

ところが 1936 年、ベルリン・オリンピックに日本代表選手として出場したマラソンの孫基禎(ソンギジョン)の金メダル獲得を報じる記事で、ユニフォームに描かれた日本国旗(日章旗)を削除した写真を掲載したとして、『東亜日報』が発行停止処分を受ける(「日章旗抹消事件」)。同紙の社会部部長だった玄鎮健も拘束され、翌 1937 年には東亜日報社をやむなく退社する。専業小説家となってからは長篇の歴史小説の創作に進むが、1943 年、腸結核により死去した。満 42 歳だった。

玄鎮健は、芸術至上主義を追求し短篇小説様式を確立したとされる金東仁(キムドンイン)や、大きなスケールで植民地社会の矛盾を表現した廉想渉(ヨムサンソプ)らとともに、草創期にあった朝鮮近代小説を大きく進展させた作家のひとりと評価される。東京や上海での留学の実態について、知られていることはあまり多くないが、多言語環境で修学と自己形成を行った(滬江大学ではドイツ語を学んだとされる)ことは、帰国後に小説執筆と並行して数多くの外国小説を朝鮮語に翻訳・紹介したことと関連があるかもしれない。外国小説の翻訳が、玄鎮健の得意とした写実的な描写やアイロニーなどの小説技巧を習得するための重要なプロセスだったという指摘もなされている。

「故郷」ははじめ、1926年1月、『朝鮮日報』に「彼の顔」という標題で読み切りの短篇として発表され、同年3月に発行された玄鎮健の短篇集『朝鮮の顔』に「故郷」と改題されて収録された。版元はクルボッチプという小規模な出版社兼書店で、1926年に「現代文芸叢書」と銘打って3冊の文芸書を出版しており、『朝鮮の顔』もそのうちの1冊だった。所在地の京城府公平洞121番地という地番は、現在のソウルには残っていないが、鐘路(チョンノ)タワーから北へ曹渓寺(チョゲサ)方面へ入って1ブロックほど進んだあたりと推測される。『朝鮮の顔』は四六判、166ページの小さな書物で、全部で11篇の短篇小説が収められており、「故郷」はその最後に位置している。後述するように、作中「朝鮮の顔」というフレーズが印象的に登場することもあり、「故郷」は実質的な表題作と言えるだろう。

玄鎮健
(『文章』1939年11月号、韓国国立中央図書館蔵)

『朝鮮の顔』表紙

「故郷」のテクストはすべてハングルで書かれている。物語は、京城へ行く汽車で同席した奇妙な風体の男から「わたし」が聞いた身の上話を中心に成り立っている。その男は故郷で暮らす術を失い、9年のあいだ、中国東北部や日本各地を移り住む放浪生活を送る。そうした生活の中、あるとき思い立って故郷へ帰ってみたものの、故郷はすでに荒れ果てた廃村となっていた。近くの街で偶然に再会した昔の許婚は、大邱の遊廓へ売られたが性病をわずらい、今は日本人の家で子守りをしている——というのが、男の身の上話のおおよその内容である。「わたし」は共感をもって男の話を聞き、40歳ほどに老けて見える、実際は26歳のその男の表情に「朝鮮の顔」を見て取る。日本による植民地支配のために苦境に陥った人々の状況を、冷徹にとらえた名作という評価が現在では一般的である。

朝鮮近代文学を日本の植民地支配に対する抵抗の営みであると見なす立場と、玄鎮健の「故郷」はたしかに相性が良いし、実際にそういうふうに読まれてきた。なかでも、男の故郷が寂れ、崩壊する原因として、それまでの農耕地が東洋拓殖株式会社(朝鮮の植民地経営を担った日本の国策会社)の所有となり、過重な小作料を課されるようになったことを具体的に記しているのは、当時の検閲などの状況を考慮すれば特筆に値する。失郷した男の物語がそのような細部とともに記述されている点で、「故郷」は日本による支配の苛酷さや非道さを告発する作品となりえている。現に、「故郷」が収められた短篇集『朝鮮の顔』は、戦時色が強まる1940年に朝鮮総督府によって禁止単行本に指定され、表立っての流通が不可能になっている。

しかし、本章で目指すのは、「故郷」がもつ「抵抗」の文学としての特質を確認することではない。むしろ本章では、「故郷」に仕組まれた多言語性と混淆性に注目することで、日本語を通じてこの小説をどのように受け止めることができるのかについて考えてみたい。玄鎮健は韓国の「国民的作家」であり、「故郷」はその代表作であるのに違いない。だが、文学は国民国家の枠組みに基づくそうした分断をこえることができる力をもつ。文学テクストの柔軟で新しい読解を通じて、そのような分断を乗り越えることができることを示すことは、現代の文学研究がもつ意義のひとつである。

2　多言語テクストとしての「故郷」

チョゴリの上に着物を羽織り、中国風のズボンを履いた五分刈りの坊主頭をしたその男は、ボックス席で一緒になった日本人と中国人に、やたらに話しかけようとする。「わたし」の視点からその様子を描く部分で注目されるのは、男の台詞が「도고마데(ドコマデ) 오이데(オイデ) 데수가(デスカ)」や「네(ネッ) 쌍(サン) 나(ナ) 을(ウル) 취(チュイ) ー」(你上哪儿去＝どこへ行くんですか)のように、日本語や中国語の音をそのままハングル表記したかたちで記されていることである。

さらに、原文ではその日本語や中国語の意味は説明されず、ただハングル表記された音のみが読者に提示されているだけである。実のところ、このような表記は植民地期の朝鮮語の文献では珍しいものではないのだが、特にこの表記が「故郷」で効果的なのは、これらの台詞が汽車の中で発せられているという設定のためである。汽車の車内は、互いに関係のない乗客たちが、移動という目的のために一時的に共有する閉鎖空間である。ハングル表記された日本語や中国語の台詞は、その汽車の中が、朝鮮語のみならず中国語や日本語もやり取りされる、密な多言語空間であることを示している。読者は、ハングルで書かれていながらも朝鮮語ではない言葉を前に、みずからの言語的知識をもとに、その意味を汲み取ったり意味のわからない音としてのみ読み取ったりすることで、その車内、あるいはボックス内の多言語性を追体験することになる。

故　郷　　一五八

수염을비비면서 마지못해 끗덕끗덕하는 고개와함께「소데수가」란 한마듸로 코대답을 할
뿐이오 잘바다주지안흐매 그는또중국인을 붓들고 실랑이를한다。「니쌍나울취ー」「올
씽섬마」하고 덤벼보앗스나 중국인 또한그기름끼인 뚜우한얼굴에 수수겨기 가튼 우슴을
씌울뿐이오 별로대꾸를하지 안핫건만 그래도무에라고 련해웅얼거리면서 나를보고 우서
보이엇다。
그것은 마치짐승을놀리는 요술장이가 구경군을 바라볼때처럼 훌륭한재 재조를 갈채해
달라는우슴이엇다 나는쌀쌀하게 그의시선을피해버렷다。그주적대는쌔이 엇줄지안코 입
살스러웟습니다 그는잠간 입을닥치고 무료한듯이 머리를더억더억 글기도하며 손톱을니
로뜻어뜻기도하고 멀거니창밧글 내다보기도 하다가 암만해도 지절대지안코는 못참겟든
지문득나에게 토향하며「어대꺼정 가는기요」라고 경상도사투리로 말을부친다
「서울꺼지가오」
「그런기요 참반갑구마 나도서울꺼정가는데 그러면 우리동행이 되겟구마」
나는 이 지내치재 반가워하는말씨에 대하야 무에라고 대답할말도업고 또 구지대답하

『朝鮮の顔』より「故郷」部分。日本語や中国語の台詞がハングルで書かれている。

しかし、男のコミュニケーションの試みは、あえなく失敗してしまう。男の横に座った日本人は、「親指と人差し指で短く整えた端正な口ひげをなでながら、仕方なくうるさそうに頷いて「そうですか〔原文は、소데수가(ソデスカ)〕」とひと言答えて鼻であしらうだけ」。「わたし」の隣に座っている中国人は、「脂ぎった不

機嫌そうな顔に謎めいた笑みを浮かべるのみ」で、男には返事をせず「わたし」のほうへ振り向く。

> それはまるで獣をもてあそぶ妖術師が見物人を眺めやる時のように、自分の見事な手腕への喝采を求める笑いだった。わたしは冷淡に、その視線を避けてしまった。その気取ったさまがばかばかしく、鼻についたのである。〔朝鮮人の〕彼はしばらく口をつぐみ、退屈そうに頭をぼりぼり掻いてみたり、爪を歯で嚙んでみたりもし、ぼんやり窓の外を見ていたかと思うと、どうにも話をしていないといられないのか、不意にわたしのほうへ向かって、「どこまで行くんですかな」と慶尚道（キョンサンド）訛りで話しかける。
> 「ソウルまで行きます」

男を見下したような中国人の視線をかわした「わたし」は、話し相手を得られず落ち着かない様子の男の観察を続ける。そして、自分に向かって「慶尚道訛りで」投げかけられた質問に対し、「わたし」はとっさに答えを返す。

本文で「慶尚道訛りで」と明示された男の台詞と、それに答える「わたし」の台詞の原文はそれぞれ「어대ᄶᅥ 정　가는기요（オデッコジョン　カヌンギヨ）」と「서울ᄭᅡ지가오（ソウルッカジカオ）」となっている。男の「慶尚道訛り」と、ソウルに6､7年住んでいるという「わたし」の言葉との間には、細かな語形や言い回しの違いのほかに、イントネーションの面で大きな違いが存在していることだろう。男の台詞では、「ᄶᅥ 정（ッコジョン）」(まで)や「―는기요（ヌンギヨ）」(〜ですかな)など、慶尚道方言に特徴的な語形が文字として再現されており、「わたし」の台詞の言葉との違いが視覚的に表現されている。こうした方言間の書き分けは、「慶尚道訛り」を知っている読者にとっては、文字だけでは表現されない聴感上の違いを想像させるきっかけとして機能するのである。

この部分で重要なのは、小説の中ではじめて登場人物の間での受け答えが成立していることである。いかにもそれらしく描かれた「日本人」や「中国人」に対して、男が日本語や中国語で試みて失敗したのとは異なり、男の「慶尚道訛り」と「わたし」のソウルふうの言葉は、微妙な差異はあるもののたがいに理解可能な、「朝鮮語」どうしのコミュニケーションとして成立する。男と

「わたし」の間での受け答えの成立は、その後の物語が語られる端緒となるプロット上の転換点であるとともに、複数の言語が混ざりあう汽車の車内という空間から、朝鮮語による2人の会話が小説を構成する特別な会話として浮かび上がる起点となる。この受け答えの成立をきっかけにして、朝鮮人、中国人、日本人が居合わせ、多言語が混ざりあう汽車の車内で、「朝鮮語」による親密な対話とその内容が、小説「故郷」の中心内容としてクローズアップされるのである。

3 「正宗」を酌み交わす2人

続く2人の対話をもう少し見てみよう。

> 「ソウルには長いんですかな」彼はまた尋ねた。
> 「6、7年になります」やや面倒に思ったが、答えないわけにもいかなかった。
> 「やあ長いもんですなあ。わたしは初めてなんですけんど、わたしらのような日雇いのもんが汽車を降りたら、どこへ行きゃあいいですかな。日本語で言うと「キチンヤド」みたいなのがありますかな」と、彼はままならない自分の身の上を思ったのか、顔をしかめてみせた。そのときわたしは、彼の顔が笑うことよりしかめることに、より適した顔であるのを発見した。〔中略〕わたしはその辛酸のにじんだ表情にいくらか感動して、彼に対する反感がほぐれるようであった。

ソウルへ行って日雇いの仕事を探すという男が見せた一瞬の表情をとらえた「わたし」は、「彼の顔が笑うことよりしかめることに、より適した顔であるのを発見」する。これが、「わたし」が男に対して真摯な関心を抱くようになる最初のきっかけである。ようやくコミュニケーションの成立する相手を見つけた男は、放浪生活の末、廃村となった故郷を目撃するまでの顚末を、時に涙を浮かべながら「わたし」に話す。それに対して「わたし」は、汽車に乗る時に友人から餞別でもらった清酒の瓶を開けて茶碗に注ぎ、話をする男に渡す。男は「残忍な運命が投げかける深い悲しみを酒でやわらげようとするように、続けざまに５杯」飲み、「わたし」も一緒に飲みながら、男の話に耳を傾ける。

玄鎮健は酒豪としても知られた人物で、彼の小説には酒に関する印象的なシーンが多い。『朝鮮の顔』収録作では「運のよい日」(岩波文庫の『朝鮮短篇小説選(上)』に、三枝壽勝訳で収録されている)がこの点で格別である。人力車夫の金僉知(キムチョムジ)は、妙に稼ぎの良かったある日の夜、家で病気の妻が寝ていることが気がかりだったが、立ち呑み屋で友人を見かけて深夜まで痛飲する。土産にソルロンタンを買って家に帰った金僉知の酔い覚めと連動して、その夜に家で起こったことがだんだんと明らかになっていく小説末尾の描写には、えもいわれぬ迫力がある。

「故郷」でも、酒は物語の推進力となる重要な小道具である。男と「わたし」が酌み交わす酒は、原文では「정종(チョンジョン)」と書かれている。漢字では「正宗」、つまり日本酒である。朝鮮在来の清酒は薬酒(ヤクチュ)と呼ばれ、自家醸造も根強く行われていたが、植民地化後の 1916 年に施行された酒税令により、酒造は免許を受けた大規模経営の業者に集約されていき、無免許の醸造は「密造」扱いとなった。朝鮮が開港した 19 世紀末から、日本人による朝鮮での日本酒製造は始まっていたが、日本資本による近代的な醸造技術を備えた工場製の清酒は、植民地期に入って朝鮮を席巻するようになる。山邑酒造の「櫻正宗」などのブランド名は朝鮮人のあいだにも広まり、「正宗」という漢字が朝鮮語読みされて「정종」となり、現代にまで残る語彙となっているのである。大邱が位置する慶尚道、とりわけ釜山(プサン)や馬山(マサン)は、植民地期に日本式清酒の名産地となり、そこで醸造された「正宗」は日本本国や満洲国にも移輸出されるほどだった。

「故郷」の「わたし」が携えていた「正宗」は、朝鮮で作られた米(ただし、品種は日本内地から持ち込まれたもの)を使い、日本の資本によって建てられた工場で、日本式の製法により製造されたものである。それは汽車の車内で茶碗に注がれ、日中韓３国を折衷した装いの男の手に渡る。男と「わたし」の身体に流れ込む「正宗」のアルコールの作用によって、男の語る話はより深く進んでいく――。「故郷」は、このともすれば奇妙で親密な語り手―聴き手関係の中で、男の「慶尚道訛り」の音声を台詞の挿入によって想起させながら、男が「わたし」に語って聞かせる物語の内容を、近代朝鮮語の小説文体によって書き記すことで成立している。

先に見たように、男と「わたし」が取り交わす「朝鮮語」は、多言語が混淆する汽車の中で特別な言語としての地位を与えられた言語だった。それに対して、身の上話をする男と、それを聞く「わたし」が飲み交わす「正宗」は、植民地支配の進行過程で在来の酒文化を破壊しながら朝鮮に定着した、いわば外来種である。「朝鮮語」による対話の潤滑油となるのがこの「正宗」であるという小説内の設定は、植民地近代における「朝鮮語」をとりまく文化的雑種性、すなわち「朝鮮語」なるものが、けっして純粋なものとしては存在しえないことを暗示するものと言える。「正宗」という小道具は、男の物語を引き出し、「わたし」と男のその場かぎりの饗宴を酔気によって幻想的に演出するとともに、生活の奥深くにまで宗主国の文化がしみとおった植民地の卑近な日常を示唆しているという点で、「故郷」という小説に独特の陰影を与えているのである。

4　故郷喪失という経験

やがて男の話は佳境に入っていき、男の「故郷」の様子が「わたし」との対話によって、次のように明らかにされていく。

「故郷へ行かれて、迎えてくれる人はいましたか」わたしは嘆息した。

「迎えてくれる人なんぞいますかいな。故郷は、すっかりなくなっとりましたわ」

「そうでしょうね。９年もすれば、すっかり変わっていたでしょう」

「変わったもなんも、なんにもありませんでした。家もなく、人もおらず、犬１匹の影すら見えませんでな」

「では、まったくの廃村になっていたということですか」

「ふん、そうですな。崩れかけの塀ばかり並んで残っとりましたわ。わたしの家も、跡が残ってないわけなかろうものを、いくら探しても見つからんでしたな。人の住んでた村があんなになるのを、どうして見てられますかいな」と、彼のしぼり出すような声は高くなった。「腐って倒れた垂木やら、やたらに転がった敷石といったら！　まるで墓を掘って骨を掘り返してめちゃめちゃにしたようでしたわい。世の中にこんなことがありますかいな？ 100戸もあった村が、10年にもならずまったくなくなっちまうなんてことがありますかいな？ ふう！」と、彼はため息をつき、そのときの光景を目の前に描くようにぼんやりと遠くの山を見つめて、わたしが注いでやった酒をぐいとあおり、「やあ！ 胸のつぶれる思いですわ」と言うとすぐに、大粒の涙が2､3滴ぽたりと落ちる。

わたしは、その涙のなかに、陰鬱にして悲惨な朝鮮の顔をはっきりと見たようであった。

ここで読者は、男の話を聴く「わたし」と一緒に、男の故郷がすでに文字どおり存在していないことを知ることになる。「故郷」という小説の標題が示すのは、実際には、取りかえしのつかない故郷の喪失である。ここに引用した部分に至る前に、小説の本文にはっきりと記された「東洋拓殖会社」という歴史的な固有名詞をすでに目にしている読者は、「朝鮮語」どうしの対話によって物語られる故郷の喪失が、日本の植民地政策を原因とすることを読み取るに違いない。「わたし」が男の「涙のなか」に「陰鬱にして悲惨な朝鮮の顔」を見出したという表現は、このとき意味深く響くことだろう。そこには、日本による植民地支配と、それによる故郷喪失という状況から発生するナショナリズムの萌芽がある。そのナショナリズムは現在の韓国にまでつながるものであり、この小説が韓国で名作として読み継がれる素地ともなっている。

だがこの小説にはまた、そうしたナショナリズムに参与しない者たちにも開かれた空所が存在してもいる。それは、男がため息の後に、「遠くの山」をながめながら思い描いたとされる「光景」から、「大粒の涙」へと至る心の動きである。男がみずから語った言葉のほかに、廃村となった故郷でどのような「光景」を目の当たりにし、汽車の車中でどのような思いにふけったのか、小説本文から読み取れることは、実のところ多くはない。逆にここにこそ、読者が小説のテクストに想像的に介入していく余地が存在すると言える。読者は、書き手の「わたし」に部分的に憑依しながら、「朝鮮の顔」という表現に対してそれぞれの立ち位置から、独自の意味を付与していくことを許されているのである。

ひととおり話を終え、「わたし」とともに「正宗」の一升瓶を空にした男が歌う歌もまた、読者にさまざまな思索をうながすものと言える。

「さあ、酒でも一緒に飲みましょう」と、わたしたちはたがいに酌をしながら、一升瓶を空にしてしまった。彼は酔興に乗じて、わたしたちが幼いころ、なにも知らずに歌っていた歌を詠じた。

稲の俵が穫れる田は
新しい道になりまして――
口の達者な御仁なら
監獄送りになりまして――
煙管(きせる)をたたく老人は
共同墓地へ行きまして――
見目麗しい生娘は
遊廓行きになりまして――

村の人々に収穫をもたらしていた農地は支配者の手に渡り、村を通過するヒトとモノを運ぶ道となる。社会の現状を批判し、変革しようと言葉を発する行為は、言論の自由を制限する権力者によって弾圧される。長煙管をたたいて灰を落とす朝鮮老人は、日本の植民地主義的視線によってとらえられた頑迷固陋で怠惰な原住民の象徴だったが、その老人が葬られるのは先祖が眠る墓所ではなく、近代的な土地政策によって設置された共同墓地である。容姿に恵まれた女がいれば、人身売買さながらに遊廓へと売られていく――男が歌う歌の歌詞を補足しつつ説明するならば、このような内容になるだろう。

歌詞に登場する「共同墓地」と「遊廓」という言葉は、歴史的に固有の文脈をもっている。共同墓地は、1912年の朝鮮総督府令（いわゆる「墓地規則」）によって、朝鮮で唯一の合法的墓地と規定された。しかし、一族ごとに先祖の眠る墓地に土葬する習慣のあった朝鮮の人々にとって、この措置は容易に受け入れられるものではなかった。これによる社会的不満の高まりが、1919年の3・1独立運動の遠因のひとつになったとも言われる。

遊廓は、日本人の朝鮮半島への進出とともに持ち込まれた、近代公娼制度に基づいて設置された施設である。関連する法整備がなされ、娼妓を保護するために一定の施策も採られたが、「故郷」の男のかつての許婚が性病に苦しんだという設定からうかがえるように、人身売買、虐待、性病などの温床となることは避けられなかった。

この歌の内容について、小説の本文ではなんらの説明もされず、ただ「わたしたちが幼いころ、なにも知らずに歌っていた歌」と提示されるだけである。しかし、「故郷」をここまで読み、「わたし」によって聴き書きされた男の物語を受け止めた読者は、この歌が男の経験してきた植民地的な生と重なっていることに気がつくはずである。「故郷」という小説は、日本の植民地支配とともに近代化が進んだ朝鮮特有の歴史的経験に根差しながら、回復不可能な故郷の喪失という普遍的な悲劇を、目の前にいる人間の経験として描きだしている。男の経験が固有のものであるとともに普遍的なものでもあることに気づいた読者は、「幼いころ」にこの歌を歌ったという過去を「わたしたち」と共有していなくとも、それぞれのやり方で、男の詠嘆に共感することが可能になるはずだ。その時、植民地支配という加害に対する批判は、加害者の側だった日本の読者にとっても、自己のものとなりうるのではないだろうか。

おわりに

日本語を日常的に使い、世界と関わっている読者にとって、「故郷」という小説がもつ余韻は、もしかするとより複雑なものとなるかもしれない。「故郷」という小説は、冒頭で男と「わたし」の対話が成立したことをきっかけに、この２人の「朝鮮語」によるコミュニケーションを多言語が入り混じる車内から切り離し、浮かび上がらせるという操作を行っていた。男の歌によって結ばれるこの小説は、いわば男と「わたし」の２人にクローズアップしたまま終わっている。しかし小説を読み終えた読者は、そのクローズアップされた世界から離れ、男と「わたし」の隣にはそれぞれ日本人と中国人が座っていたという、小説の始まりに描かれていた情景を反芻してみることができる。

この反芻によって、読者はあるいは、男と「わたし」の親密な対話から閉め出される位置に自分自身がいる可能性に、気がつくかもしれない。同じボックスの隣の席で、時に感極まったように、自分には聞き取れない言葉で話す男と、その話を聞きながら日本酒を注いでやる斜向かいの男。やがて、隣の男が馴染みのない節回しで歌まで歌いはじめる――言語の壁を乗り越え不可能なものとするならば、日本語の読者は、「そうですか」という一言で、男からの日本語での語りかけを拒絶した日本人と同じ位置に置かれてしまうほかない。

「故郷」という小説は、多言語状況の中での「朝鮮語」による親密な対話を浮かび上がらせるという点で、朝鮮人の植民地経験を印象的に結晶化させることに成功している。それとともに、そうした多言語状況を明確かつ象徴的に設定したことによって、日本と中国という２つの隣国との関係の中で、「朝鮮語」あるいは「朝鮮」が置かれた文化的位置をも指し示していると言える。つまり、日本や中国はたしかに朝鮮人の生や朝鮮の社会に介在し、影響を与えているにもかかわらず、そのことを語る朝鮮人の声は、日本人や中国人には届かない。ここに、植民地の現地語であり少数言語である「朝鮮語」でこの小説が書かれていることの、重要な意味がある。

韓国文学をはじめとする外国文学を研究することは、この届かないはずの声に耳を傾けるために、自分自身を言語の壁の向こう側に置こうとする営みだと言えるように思う。その営みの中には、本章で試みたように、文学テクストに込められたものを翻訳によって橋渡しし、直接には言語の壁を越えることができない人々に対しても、その向こう側に響く声を届けることが含まれてもいる。「故郷」で描かれた「慶尚道訛り」の男と、その「訛り」をもたない(あるいは捨て去った)「わたし」とのコミュニケーションの成立も、ある意味では言語の壁を越える瞬間をとらえたものと言える。個々人がもつ言葉の差異をこえて言葉が通じあう瞬間をとらえているという点で、「故郷」という小説は、外国文学を研究すること、あるいは言葉によって他者を人間として理解しようとすることの意味をも浮かび上がらせている。

日本社会から、韓国や朝鮮半島には多種多様な視線が向けられてきた。それには、「隣の国」であるがゆえの独特な濃度をもった先入観や偏見が付きまといやすい。現代の日本の多数派の人々にとって、朝鮮半島とそこに存在する２つの国家は、針小棒大式に強調された言説によって嫌悪の対象となったり、パラレルワールドを見るような自己本位な憧憬の対象となったり、暑苦しい善意からの連帯の対象となったりするものなのかもしれない。その深みには、植民地支配という経験を通じて培われてしまった、朝鮮半島に対する偏見やパラノイア的な恐怖がいまだにくすぶっているようにも見える。

この章でその一端を提示しようとした文学・文化研究は、マスメディアやウェブメディアにあふれる朝鮮半島関連の刺激の強い言説に比べれば、はるかに地味で、影響力もささやかなものである。しかし、一次資料を丹念に読み、それらが語ることを研究者自身の感受性や経験によって受け止めるという方法は、世間で語りつくされ手垢にまみれた偏見から、できるだけ距離を取ろうとする身ぶりであるとわたしは思う。朝鮮半島の文化や社会に真摯に向き合おうとする日本の人々にとって、このような方法がいまだに有効性をもつものであることを願ってやまない。

リーディングリスト

- 波田野節子・斎藤真理子・きむふな編著『韓国文学を旅する60章』明石書店、2020年

近現代(特に20世紀)を中心とする朝鮮／韓国文学を作家から知ることのできる、見通しのよい入門書。「韓国文学」の全体像を把握するための第一歩に。

- 廉想渉著、白川豊訳『三代』平凡社、2012年(『朝鮮日報』1931年1月1日～9月17日初出)

玄鎮健と同世代、ソウルを中心とした植民地社会を長篇小説を通じて描ききった作家の代表作。周到かつ懇切丁寧な註釈が時代に対する理解を深めてくれる。

- 천정환 외『문학사 이후의 문학사: 한국 현대문학사의 해체와 재구성』푸른역사 2013(千政煥ほか『文学史以後の文学史――韓国現代文学史の解体と再構成』、未邦訳)

韓国での文学研究の、2000年代以降の新しい潮流を伝える集大成的研究のひとつ。講義録形式で1910年代の「新小説」から2010年代の歴史ドラマまでを、文学・文化研究というアプローチにより解読する。

- 손성준『근대문학의 역학들: 번역 주체・동아시아・식민지 제도』소명출판 2019(孫成俊『近代文学の力学――翻訳主体・東アジア・植民地制度』、未邦訳)

朝鮮近代文学の形成に、翻訳という多言語的な実践が深く関わっていたことを提示した意欲的な研究成果。翻訳と創作のダイナミズムの中で近代文学が形作られる過程を、興味深い事例を取り上げながら追跡する。

コラム　テクストと出会う

わたしが朝鮮文学研究の道に入りはじめたのは、学部と修士課程を過ごした東京外国語大学の附属図書館で、大量の影印本(えいいんぼん)と出会ったのがきっかけだった。2006年ごろのことである。影印本とは、歴史的な資料の写真をもとに版を作成し、印刷した形態の資料である。写真をもとにしているため、底本に印刷された文字や挿絵がほぼそのまま複製されている。薄暗くすこしカビ臭い書架に収められたそれらの資料は、現代とは異なる活字から当時の人々の生活の感触がほんのりと伝わってくるように感じられ、当時の歴史に触れることのできる、何か根源的なものを探し求めていた20歳前後のわたしにとって、とても魅力的に見えた。

その後、韓国の諸機関では資料の電子化が相当に進展した。特に、韓国国立中央図書館(https://www.nl.go.kr/)での資料電子化の進展は目覚ましく、現在では自宅から無料で閲覧できる資料も多い。民間のサービスの中では、「NAVERニュースライブラリー」(https://newslibrary.naver.com/)が有用である。1999年までの主要新聞の紙面画像を無料提供するのみならず、記事の全文検索にまで対応している。財団法人玄潭(ヒョンダム)文庫(http://hyundammungo.org/)がインターネット公開している雑誌や単行本資料も、現代の文学研究環境にとって欠かせない。韓国古典翻訳院の「韓国古典総合データベース」(https://db.itkc.or.kr/)では、『朝鮮王朝実録』や朝鮮王朝時代の文集など、数多くの漢文古典籍の原文と韓国語訳を検索・閲覧できる。

また、2015年ごろから、「初版本」と銘打った文学書などの復刻出版が流行している。韓国の小出版社が中心になって起こったブームで、レトロな装丁の本がコレクション目的でも売れているという。わたしが本文で参照した玄鎮健の『朝鮮の顔』も、2016年に「初版本」として復刻されたものである。古いハングル活字で印刷された文字を通して1920年代の京釜線の汽車の車内へと旅立つ、という読書体験を共有したいという気持ちは、本書執筆の大きな動機だった。

(URLはすべて2024年2月現在)

第III部
韓国社会のいまを生きる

7 「翻訳」から遠く離れて
——K-POP ファンダムの言葉から

佐々紘子

はじめに

第164回(2020年下半期)芥川賞を受賞した宇佐見りんの小説『推し、燃ゆ』(河出書房新社、2020年)は、主人公と「推し(応援している俳優や歌手のこと)」の関係を微細に描写した小説である。芥川賞選考委員の1人・島田雅彦は、選評で「「追っかけ」の心理の解剖としても一級の資料的価値がある」「発語のスリリングな瞬間が連続している」と概括したが、この評価は、本作が推しの世界の広がりをうまく掬い取ったということ、そして何より推しの世界とは、言葉の問題であるということを端的に指摘したといえる。宇佐見は、SNS上でやりとりされるさまざまな推しにまつわる文化や言葉を調べて執筆したとインタビューで語っている。ところで、宇佐見は推しの世界を日本語・日本文学の射程の内にとらえたといえるだろうが、今日SNS上における言語の使用が、ある単一の言語で措定されている空間でのみ成立するということはやはり不可能であろう。インターネット空間とは多言語に開かれた空間であり、推しをめぐる言葉もそれらの絶え間ない往還において、つまり翻訳行為の上にも成立しているはずだ。実際に『推し、燃ゆ』は韓国でも2021年に出版されている。

酒井直樹は『日本思想という問題——翻訳と主体』(岩波書店、1997年)で、翻訳について「一つのテクストを別のテクストに翻訳、あるいは通訳しなければならないのは、二つの異なる言語の統一体があらかじめあるからではなく、翻訳の行為が言語を分節化し、その結果、翻訳の表象を通じて、あたかも翻訳する言語と翻訳される言語の自立的で閉じられた統一体が存在するかのように、それらの言語を措定することができるような制度が成立することになるからなのである」と指摘した。韓国のエンターテインメントも、このようなアメリカや日本などの翻訳行為の制度化の進行上に成立すると考えられてきた。むろん、韓国の一方的な受容においてである。だからこそ、特に近年の日本において、しばしばナショナリズムの問題に絡めた(日本のエンターテインメントの模倣であるといった)ナラティブの分かりやすい一例とされることが少なからずあったのだ。しかし、今日果たしてこれらがそうであるといえるだろうか？ 重要なことは、韓国エンターテインメントの国際的な影響力の増大から、韓国から日本に大量のサブカルチャーが流入しているといったことのみならず、「翻訳する言語と翻訳される言語の自立的で閉じられた統一体が存在する」といった翻訳の制度化を前提とするような言表行為そのものから逸脱した翻訳上の展開である。「制度化された翻訳」を逸脱していく翻訳行為は、例えば優れた文芸翻訳のみによって行われているのではない。本章で扱っていくK-POPのファンダムでも確かに見てとることができる。

ホミ K. バーバ(Bhabha, homi)もまたインタビュー(『翻訳論とは何か——翻訳が拓く新たな世紀』早川敦子、彩流社、2013年。以下は訳文を抜粋)において「あらゆる文化は絶えず異種混淆性の過程を示している。しかし、私にとっての異種混淆性の重要性は、第三のものがそこから出現する二つの瞬間の痕跡をそこに見ることが可能になるということよりもむしろ、異種混淆性そのものが他の位置を生み出す「第三の空間」を意味しているということなのだ」と文化翻訳と異種混淆性の関係性を論じつつ、より積極的なものとして「第三の空間」について言及している。そしてバーバのいうこの「第三の空間」とは、翻訳不可能性を前にした際、それらを安易に解消しようとせず、むしろ、不可能性の内に留まりその周囲を迂回しながら往還し続け、新しく生成される言葉を生み出す過程の場のことである。

それは、K-POPファンダムが作り出している言葉の内にも見てとれるものと位置の同時性を示しているといえるだろう。その言語の生成過程は、微細で、先鋭的な表現からなるがゆえにしばしば見過ごされがちであり、学問的な考察の対象としては敬遠されたり、そもそもその展開を追うことに困難がともなうものだが、決して軽んじられるべきでないと考える。

また、このような、韓国のエンターテインメント／サブカルチャーを扱うことは、インターネット空間などで、膨大な量の情報が既出されており、それらを考察対象とすることに疑問をもたれる向きもあるだろう。しかし、インターネット空間での情報が膨大であることの反動か、詳細な学問的な分析を加えたものは意外にも少ないように思われる。

さて、ここまでK-POPファンダムの言葉について駆け足で考察してきたが、以下ではK-POPファンダムで使用される言葉を可能な限り詳細に追ってみていきたい。読者の方にもその面白さを共に経験してもらいたい。

1 K-POPのファンダムで使用される言葉

韓国のポップカルチャーは、第一次韓流ブームの起こった2003年以降、ドラマ、映画、ファッションなど、さまざまな形で日本に浸透している。しかし、言葉に着目する時、とりわけ2000年代半ば以降、K-POPの流行とともに韓国語由来の言葉がそのまま使われ始め、一部の言葉は長期にわたり使われ続けている。流行を考えた場合、時期的にはドラマが先行しているが、ドラマファンの間では言葉が作り出されるという流れはできあがらなかった。それは日本でのドラマ放映には多少のタイムラグが生じるという点に加えて、ドラマファン同士の交流は、K-POPファンダムに比べ、SNSなどのネット空間で行われにくいという特性があったからであろう。

K-POPの流行とともに、ファンたちの間で韓国語由来の言葉が使用されていることに気づいている方も多いだろう。ファンのことを「ペン」、自撮りした写真のことを「セルカ」などと言う。これら韓国語に由来する言葉はインターネットや書籍などでも紹介されている。『日本語からたどる文化』(「言語接触」大橋理枝、ダニエル・ロング、放送大学教育振興会、2011年)でダニエル・ロングは、「言語接触とは2つの言語を使う人が接触を繰り返すことによって、片方または両方の言語が何らかの影響を受けて変化することをいう。その影響は様々な形で現れる。最もよく見られる程度の軽い言語接触の産物は借用語である」とした。

通訳や翻訳を生業とし、常に新しい言葉をどう訳すことができるかについて考える習慣のある筆者にとって、必ずしも日本語に訳さなくても伝わる表現が多数生まれているということ自体が非常に驚きだった。このような驚きから、K-POPファンダムで多様に用いられている韓国語に由来する言葉について、論じてみたいと考えた。

日本のK-POPファンダムの間でどのような言葉が使われているのかを調べ、K-POP関連の言葉30個と一般的な言葉10個を選定した。

言葉の分類については、小林善久(「TVCMにおける和製英語のパイロット調査――文字テクストと音声テクストの対照を軸に」『第3回コーパス日本語学ワークショップ予稿集』国立国語研究所、2013年)などの先行研究を参考にして、以下のように分類した。

①借用語：韓国語の言葉をそのまま借用した言葉
②短縮語・省略語：韓国語の言葉を短縮したり、省略したりした言葉
③混種語・混成語：韓国語の言葉と日本語の言葉を組み合わせた言葉
④複合語：韓国語の言葉同士を組み合わせた言葉
⑤現地化された借用語：韓国語の発音ではなく、日本語の発音に合わせた言葉

上記5つに分類したうえで、Twitterで用例を探した。Twitterで使用されている文章はそのまま載せるようにしたが、用例の意味が分かりにくい場合は、助詞や句読点を補った。

2 K-POP関連の語彙

①借用語

まず韓国語の言葉をそのまま使っている借用語から見ていく。ただこれらは外来語であるため、発音に関しては『外来語の形成とその教育』(国立国語研究所編、大蔵省印刷局、1990年)にもあるように「日本語の音韻体系の許容範囲内で発音される」ということに留意せねばならない。

ある言語の言葉を借用してそのまま使用するというのは、ある言語から別の言語に取り入れられる際に、最も一般的な使用の仕方であるため、数も多い。

(1) アユクデ　아육대

去年アユクデ見に行ったのも今の時期だったな。

아이돌스타 육상 선수권대회(アイドルスター陸上選手権大会)の略。K-POP歌手がこぞって出演することから、日本のK-POPファンの間でもアユクデとい

う名称で知られているようである。

(2) オルペン　올팬

○○寄りのオルペン

グループのメンバー全員のファンであるという意味。英語で書くと all fan だが、英語ではこのような呼び方をしないため、韓国式の英語であるといえる。

(3) ○○コン　○○콘

コロナ落ち着いてソウルコンとか行けるようになったら、誰か一緒に行こうね。

○○コン(○○ 콘)のコン(콘)とはコンサートの略語で、韓国語ではソウルで開催されるコンサートを略して「서울 콘(ソウルコン)」と呼んだり、芸能事務所の所属歌手が総出演するファミリーコンサートを「패밀리 콘(ペミリコン)」などと呼んだりする。日本でのコンサートという意味で、韓国語では일본 콘서트の略である일콘という言葉が使用されることがあるが、日本語でもそれを借用しイルコンという言葉が使われている。

(4) コンカ　공카

コンカ登録時に何のアドレスを使ったのか覚えていないんです。

공식 팬 카페(公式ファンカフェ)の略称。一般的には歌手が所属している事務所が運営している。ファンが個人的に作成していた팬 카페と所属事務所などが作る공식 팬 카페は厳密には異なるものだが、공식 팬 카페のことを、팬 카페などと呼ぶことがあるため、ほぼ同じような意味で使用されていると考えていいだろう。このように韓国語の카페は、喫茶店という意味の他に、日本語ではインターネットコミュニティなどと呼ばれるものをも意味する。

(5) サセン　사생

家まで行くサセンとか理解できない。

アイドルの私生活を侵害するファンを指し示す言葉であり、もともとは사생팬(私生ファン)という言葉を省略したものだが、この言葉もまた日本語にそのまま借用されている。漢字で書くと「私生」となるが、漢字よりはカタカナで表記することが多いようだ。

(6) サノク　사녹

ニューイヤーコンサートやっぱりサノクか。

사전 녹화(事前録画)、つまり音楽番組などであらかじめ出演部分を事前に収録しておくことを意味する。

(7) スミン　스밍

次回のカムバからはスミンやMV再生から頑張っていきましょう。

스트리밍(ストリーミング)の略語。歌手が新曲をリリースすると、放送局ごとにその比率は異なるものの、CDの購入のみならず、音源配信サイトでその新曲がどれだけストリーミング再生されたかが売上げランキングに反映されるため、再生回数を上げることが新曲をランキングの上位に食い込ませる際に大いに役立つ。

(8) チッケム　직캠

昨日の○○くんのチッケムがアップされています。

ファンが直接カメラで撮影した映像という意味で使用されていたが、その後音楽番組などでもこれを模倣するようになり、メンバー1人に焦点を当て、ダンスや歌などのパフォーマンスを映し続ける映像のこともそう呼ばれるようになった。

(9) ペン　팬

○○ペンなわけじゃないけど自然と目で追っちゃう。

K-POPファンのこと。ファンという英語由来の外来語がすでにあるのにもかかわらず、敢えてペンと呼んでいる点が特徴的。使われ方はファンと同じ。ペンがファンのことであるということを知らないK-POPファンはいないほどだ。この語彙から派生した語彙としては、ペンサ(ファンサイン会/ファンサービス)、ペンミ(ファンミーティング)、ペン卒(ファン卒業)などがある。ファンではなくペンという語彙を使えばK-POPファンであるという意味になるため、ファンという言葉と区別して使われていると考えられる。

(10) ペンサ　팬싸

前、ペンサのときにきてたニットも可愛い…。

팬 사인회(ファンサイン会)の略。日本語にもファンサという言葉があるが、こちらはファンサービスの略であるため、ファンサイン会のことをファンサと

呼ぶことはあまりない。またサイン会と呼ばれることもある。

(11) ペンミ　팬미

ペンミから1年…。

팬 미팅(ファンミーティング)の略。『大辞泉』では、ファンミーティングが和製英語として紹介され、「芸能人やスポーツ選手などがファンと交流するために行う催し」と説明されている。日本語でもファンミーティングの略語としてファンミという言葉が使われるが、K-POP ファンの間では、ペンミという言葉が使われる。

(12) ポカ　포카

今日も頼んだアルバム来るから、○○のポカが出て欲しい！

포토 카드(フォトカード)の略。歌手の顔写真やバストアップの写真が収められたカードサイズの写真で、CD やグッズなどを購入するとランダムで付いてくる。日本ではトレーディングカードを略してトレカと呼んだりもする。

(13) ホムマ　홈마

メンバーもだけどホムマもこの寒い中まじでお疲れさますぎる。

홈페이지 마스터(ホームページマスター)の略語で、空港やテレビ局などで入り待ちや出待ちをし、デジタル一眼レフカメラに望遠レンズを装着し、歌手たちの姿を撮影する人たちのこと。マスタニム(마스터님)やマスターさんと呼ばれることもある。歌手たちの写真を撮影し、補正したりして加工し、ホームページや SNS 上に掲載したり、撮影した写真をもとにグッズなどを製作・販売したりする。

(14) マスタニム　마스터님

センイル〔後出：誕生日〕ってマスタニムの財力をひしひしと感じるよね。

上述のホムマと同じ意味だが、相手を高める敬称님(ニム)が使用されている。日本語では喫茶店やバーの主人のことをマスターと呼ぶことはあるが、ホームページを管理している管理人という意味で使用されることはない。

(15) マッパン　막방

活動長かったから、マッパン寂しいなぁ。

最後の放送という意味。最後(마지막)という意味を表す接頭辞の막が放送という言葉방송と結びつきできた言葉。K-POP ファンの間で使われる場合は、

歌手が新曲を披露する活動期間の最後に出演するステージのことをいう。

(16) ミョンダン　명단

ミョンダンに名前ないのにどうやって参加したんだろう。

名簿のこと。テレビ番組の事前収録、公開録画にファンが参加する際は、事前にオンライン上で申請をし、発表された名簿に名前がなければ、事前収録や公開録画には参加することができない。またサイン会の場合も、CDなどを購入後、当選したかどうかをその後発表される名簿で調べる必要がある。

(17) ヨントン　영통

あと1週間もないのに全然ヨントンのネタが思いつかない…。

영상 통화の略語で、日本語でいうビデオ通話のこと。コロナ下では、歌手とファンが直接会うことが難しいため、ビデオ通話機能を使ってサイン会が行われるようになった。一般的にはビデオ通話サイン会、オンラインサイン会などと呼ばれたりするが、名称が長いこともあってか、ヨントンとだけ呼ばれることも多い。韓国語では영통 팬싸／영통 팬사(ヨントンペンサ)などと呼ばれている。

② 短縮語・省略語

以下では、韓国語の語彙の短縮語・省略語について見ていく。これらは特殊な語彙がつくられているわけではないが、韓国から流入した英語由来の外来語を短縮及び省略したという点が特徴的である。

(1) ケーポ(けーぽ)

そもそも周りにケーポ好きな子いないんよ。

K-POP(ケーポップ)の略語。K-POPという言葉は、古家正亨(「K-POP」小倉紀蔵・小針進編『韓流ハンドブック』新書館、2007年)によれば、1990年代に日本のマスコミが作った新語だが当時は日本でも定着せず、2000年代半ばに韓国で改めて使われ始めたとされることから、ここでは韓国語由来の言葉と分類した。K-POPではなく「ケーポ」と略することによって、韓国語の케이팝という音とはかけ離れた音となる。

(2) カムバ(カムバック)

○○、来月カムバっぽい！

カムバック(컴백)の略語で、韓国では歌手がCDや音源を発売し、歌番組な

どで活動することを意味する。カムバックと呼ばれることもあるが、カムバというふうに、語頭の3モーラが残された短縮語として使用されることが多い。これはアニメーションのような外来語の語頭の3モーラだけ残し、アニメと省略するのと同じ原理である(窪薗晴夫『ネーミングの言語学――ハリー・ポッターからドラゴンボールまで』開拓社、2008年)。英語のcome backには韓国語のカムバ(カムバック)と似たような意味もあるが、音楽業界のシステム自体が韓国とは異なるため、厳密に言えば韓国語のカムバ(カムバック)には新しい意味が追加されたといえるだろう。

(3) シーグリ(シーズングリーティング)

今年はシーグリに入ってるスケジュール帳使おうかな。

シーズングリーティング(Season's Greetings)の略語。これもシーズンとグリーティングの各要素から2モーラずつ取り、結合させているという点でポケモン(ポケットモンスター)と同じような複合語の短縮形であるといえる。オープンディクショナリであるウリマルセムによれば、K-POP関連の言葉として使われる場合は、「特定の芸能人の姿を収めたカレンダーやスケジュール帳、ポスター、DVDなどをひとまとめにして年末年始に販売される商品」のこと。韓国では시즌 그리팅の語頭の文字を1つずつ取って시그(シグ)と呼ばれている。

③混種語・混成語

韓国の言葉を日本語風にアレンジしたものとしては、イルデ、イル活、ナムグル、ヨジャグル、ペンサ、ペン卒などがある。これらが特徴的なのは、韓国語と日本語を組み合わせてできた複合語であり、その複合語を短縮して使われているという点である。これらはイルボン(일본)、ナムジャ(남자)、ヨジャ(여자)、ペン(팬)のようによく知られている韓国語の語彙と組み合わせたものが多い。それだけK-POPファンの間に韓国語が浸透していると言えるだろう。

(1) イルデ

イルデも楽しみにしてます。

イルボン(일본)の「イル」とデビューの「デ」からなる語彙であり、韓国の歌手たちの日本デビューを意味する。このイルデは、フリーマーケットをフリマと略すときのように、前の要素から2モーラ、後ろの要素から1モーラを取って結合させたもの。

（2）イル活

イル活、来年も難しそうだよね。

イル活というのもまた、イルボン(일본)の「イル」と活動の「活」からなる語彙であり、韓国の歌手たちの日本での活動を意味する。ポケモンと呼ぶ時と同じように、イルボン活動の語頭を取って2モーラずつ結合させたうえでイル活と呼んでいる。イル活に至っては、婚活などの○○活の延長線上で名付けられた○○活の一つである。

（3）ナムグル／ヨジャグル

ナムグルにこんなに心奪われたことないのに。／ヨジャグル、誰が好きなの？

ナムグルは韓国の男性歌手グループのこと。韓国語のナムジャ(남자)の「ナム」とグループの「グル」からなる語彙で、語頭から2モーラずつ取って結合させている。ヨジャグルもナムグルと同じように、韓国語のヨジャ(여자)とグループの複合語を短縮したもの。韓国語では、남자 아이돌(ナムジャアイドル)のことを남돌(ナムドル)、여자 아이돌(ヨジャアイドル)のことを여돌(ヨドル)と略して呼ぶが、日本語の場合ナムドル、ヨドルといった呼び方よりもナムグル、ヨジャグルといった語彙が多く使用されている。韓国語では、짐승돌(野獣のようなアイドル)、연기돌(演技をするアイドル)などといった○○돌という形がよく使用されているが、日本語の場合はバラドル(バラエティーアイドル)やチャイドル(チャイルドアイドル)などといった限られた語彙でのみ○○ドルという形が使用されてきた。

（4）ペンサ

○○はファンミでも自分の推しじゃない人にはペンサしないもんな。

ファンサービス(팬 서비스)のこと。ファンサという言葉は以前から日本でも使われていたようだが、このファンの部分をペンに変えることで韓国の歌手や俳優のファンサービスについて話しているということを表現できる。ファンサもペンサも前から2モーラ、後ろから1モーラを取って結合させたもの。

（5）ペン卒

仮にペン卒したとしても、○○の曲大好きだから一生聞き続けると思う。

ペンつまりファンを卒業すること。韓国語由来のペンという言葉が使われて

はいるが、卒業という日本語と結びついた複合語を短縮したものであり、前から２モーラ、後ろから２モーラを取って結合させたもの。ちなみに韓国語では탈덕、つまりオタク(덕후)から脱(탈)するという意味の語彙が使用されている。

④複合語

韓国語の単語を２つ以上組み合わせてつくった語彙のこと。この分類に入るものは、筆者が調べた限りでは見つけることができなかったが、今後韓国語由来の日本語の語彙が増えれば、新しい言葉が誕生する可能性は十分にあるだろう。

⑤現地化された借用語

英語由来の外来語や漢語であるために、韓国語の通りに発音せず、日本語の音で発音している言葉のこと。先行研究などを見る限り、こういった外来語のつくり方は非常に一般的なものであるといえる。

(1) エンディング妖精　엔딩 요정

○○のエンディング妖精を見られる日がこんなに不意にやってくるとは思ってなかった。

歌番組で歌を歌い終わった後に、カメラにクローズアップされる歌手のこと。K-POP の多くがソロ歌手ではなくグループで活動しているため、誰か１人(あるいは数人)がクローズアップされることが多い。この言葉の場合は先に言及した「韓国語の言葉をそのまま借用した言葉」のように、エンディングヨジョンとは呼ばれることはない。

(2) キーリングパート　킬링 파트

○○が最後のサビ前のキーリングパートを歌うところがほんとうに鳥肌。

キリングパートとも表記され、英語で書くと、killing part となる。意味は、NAVER のオープンディクショナリによれば「短いながらも耳に残るフレーズ」のことで、サビとはまた違う概念の言葉であるという。

(3) サポート　서포트

出待ち禁止からさらにサポートやソンムル〔後出：プレゼント〕も制限されるのか。

서포트(サポート)とは、ファンが歌手や俳優のために現場にお弁当やキッチ

ンカーあるいはプレゼントなどを差し入れることを意味する。ドラマなどの撮影であれば、共演する俳優とスタッフに対して差し入れをする。

(4) ファンダム　팬덤

人気上昇の勢いがすごいし、来年はもっとファンダム拡大するんだろうね。

ウリマルセムによれば、「歌手や俳優、運動選手などの有名人や特定の分野を過度に好む人のことやその集団のこと」。英語にも fandom という言葉があるが、韓国語の팬덤よりもやや大きな集団を指し示す語彙であるという。K-POP 歌手の場合、ほとんどのファンダムに名前が付けられている。日本でもファンダム名がないわけではないが、一部のバンドやグループで使用される程度にとどまっている。

(5) 練習生　연습생

練習生の頃から着てる服、今も着てるんだ…。

韓国語の標準国語大辞典によれば「運動、音楽、演劇などの分野で団体に所属して練習し、活動を準備する人」のことであるとされる。日本語では、もともと研修生やレッスン生などと呼ばれてきたが、K-POP の流行とともに、使用されるようになったようである。漢語の場合、日本語に該当する単語があれば、韓国語の音をそのまま発音せず、漢語に置き換えることが多いようだ。

3　一般的な語彙

K-POP ファンの間では、K-POP に関する言葉のみではなく、一般的な語彙も使用されている。ここでは K-POP ファンと限定しているものの、K-POP は日本の若者文化にも大きな影響を与えており、ファンではない場合でも、韓国語由来の言葉を使っている若者もいるようである。

①借用語

K-POP ファンが使用する一般的な語彙は、ほとんどが簡単な語彙であり、借用語であった。

(1) TMI

○○のチッケム、一時期眼球死ぬくらい見てました(TMI)。

Too Much Information の略。歌手に対しファンたちが「今日の TMI は？」といった形で質問されたり、歌手が自ら TMI について語ったりする際に使用される。英語圏で使用されていた語彙であるが、もともとは聞きたくない情報、不快な情報などを聞かされた際に使う言葉であるという。しかし韓国語で使用されているうちに意味の変化が起き、韓国語ではTMIという言葉が否定的な意味として使われるというよりは、「ちなみに」というちょっとした情報を付け加える際や、「どうでもいい情報だけど」といった言い訳として使用されており、日本でも同じように使用されている。

(2) エギョ　애교

○○のエギョ、癒される。

標準国語大辞典によれば、「他人が見た時かわいいと思うような態度」を意味する語彙だが、テレビなどでは赤ちゃん言葉で話したりかわいくふるまったりすることを指す。日本語の愛嬌は「愛嬌がある」や「愛嬌をふりまく」といった意味で使用されることが多く、韓国語で使用されるような意味はないので、意味に関しては韓国語由来の語彙であるといえる。漢字で愛嬌と書かれることもあるものの、エギョとカタカナで表記されることが多い。

(3) サジン　사진

懐かしいサジンも見れて歴史を感じたわ。

写真のこと。日本語には写真という言葉があるのにもかかわらず、K-POPファンはサジンという言葉を使用したりする。

(4) セルカ　셀카

○○、今年もかわいいセルカをありがとう。

셀프 카메라(self camera)を略したものであり、自撮りした写真のこと。

(5) センイル　생일

○○のセンイルまであと３日！

誕生日のこと。歌手の誕生日などはさまざまなイベントがあるため重要な語彙の１つといえるだろう。

(6) ソンムル　선물

こちらのトレカ２枚セットを５名の方にソンムルしたいと思います。

プレゼントのこと。歌手に対するソンムルもあるが、ファン同士でプレゼントを贈り合う際によく使用されている。

(7) チケッティング　티켓팅

友達の代わりにチケッティング成功したこと 2 回ぐらいある。

ウリマルセムによれば「電車の切符や入場券、公演などの観覧チケットなどを予約すること」。韓国語では名詞に ing をつけた言葉が見られるが、日本語ではあまりその傾向が見られない。

(8) ナムジャ／ヨジャ　남자／여자

09 line〔後出：2009 年生まれ〕のヨジャです。／○○のオタクする前はナムジャにハマるなんて思わなかったな。

男性と女性のこと。ナムグル、ヨジャグルのところでも紹介したが、ナムジャとヨジャという語彙自体が K-POP ファンの間で比較的浸透しているといえる。また男性歌手のことをナムジャと言ったり、女性歌手のことをヨジャと言ったりと包括的に使われることもある。中にはヨジャを隠語のように使用している場合もしばしば見られた。

(9) ピョンジ　편지

ピョンジってここ数年書いてなかったけど、励みになるなら頑張って書くわ。

歌手に対するファンレターや公式ファンカフェなどに書き込まれる長文の書き込みのこと。ファンレターや手紙という言葉ももちろん使用されるが、この言葉も使われている。

(10) マンネ　막내

マンネを可愛いがるヒョンたちの図が好き。

高麗大学韓国語大辞典によると、「1. 兄弟姉妹のうち一番最後に生まれた人のこと。2. ある集まりや集団などでもっとも年齢が下の人のこと」を意味するとある。日本語にも末っ子という言葉があるが、家族以外に末っ子という呼称を使うことがほとんどないため、マンネという語彙を借用するようになったのではないかと推測される。マンネの他に、ヒョン(형)、オンニ(언니)、オッパ(오빠)、ヌナ(누나)といった呼称もよく使用されるが、これもまた日本語におけるお兄さん、お姉さんといった呼称とは使い方が異なるからであろう。

以上、一般的な語彙では、韓国語の言葉をそのまま借用したものが大部分であり、名詞以外の品詞からなる言葉はなかった。ただし今後韓国語由来の言葉がさらに使われていく可能性はあるだろう。

この他にもここでは言及できなかったが、数年前からSNSなどでプロフィールなどに書かれている「○○ line」などの言葉も、概念自体が韓国語由来の言葉であるといえるだろう。「同じ99 lineなので仲良くして頂けたら嬉しいです」などと使われたりするのだが、もともと韓国語の○○년생(○○年生まれ)という概念を取り入れたものと見られている。K-POPファンを中心に流行したことから、一部メディアでは韓国語由来の言葉などと紹介されていたが、実際に韓国語で○○年生まれという意味で「○○ line」が使用されていないことを考えると、概念のみが伝わった特殊なケースであるといえる。

おわりに

本章では、K-POPファンダムの言葉について詳しく検討してきた。書いてきてあらためて思うのは、ファンダムにおいては、韓国語を日本語にどう「正しく訳す」のかということを絶対視するような態度は微塵もないということである。つまり、ファンダムたちは「正しい翻訳」といったことから、まったく違った別のものを「触知」し、しかし、それらを規範化させるようなことなく、それがゆえに彼らは次々とダイナミックに言葉を探していくことができるのだといえようか。このような彼らとの邂逅を通じて、彼らをより知りたいと思ったのは、筆者が翻訳・通訳に関わる過程で、違和感を感じつつも、内面化し身につけてきたであろう、翻訳・通訳における規範、それらをファンダムが愉しみのうちに軽々と乗り越えていく、その「言葉探し」に羨望に近いものを感じたのだと思う。『推し、燃ゆ』の評価においても、やはり、これをファンダムたちの推しを通しての「自己実現」や「自分探し」の物語であると、分かりやすい既知のものに回収しようとする指摘もあった。しかし、すでに述べたように、それらはインターネット社会を無視した、日本語と日本文学の射程の内にしか成立しえない評価のように思える。ファンダムの「言葉探し」は、さらにもっと別の何かに「接続」しようとする「翻訳」の動きなのだろう。最後になるが、K-POPファンダムの言葉を本稿ではおもに、翻訳のポリティクスを崩していくものと論じたのだが、当然ながら「推し」の問題はあくまで「推し論」として論じたかったという思いもあり、これは今後の研究課題としたい。いずれにせよ、筆者も彼らのうちにあって寄り添い、しばらくその向かう先を一緒に見て行きたいと思う。

＊本稿は、「日本のK-POPファンが使用する韓国語由来の日本語語彙」佐々紘子(2021)、韓国社会言語学会、『社会言語学』vol. 29-1を翻訳し，修正及び加筆したものである。

リーディングリスト

- 「対談　斎藤真理子×鴻巣友季子――世界文学のなかの隣人　祈りを共にするための「私たち文学」」『文藝 2019年秋季号　韓国・フェミニズム・日本』河出書房新社、2019年

韓国文学の翻訳家・斎藤真理子氏と英米文学の翻訳家・鴻巣友季子氏の対談。「制度化された翻訳」を逸脱していく翻訳家としての姿勢をうかがい知ることができる。

- 齋藤直子、ポール・スタンディッシュ、今井康雄編『〈翻訳〉のさなかにある社会正義』東京大学出版会、2018年

本章でも触れた翻訳のポリティカルな問題の概観について広く知ることができる著作。

- ホン・ソクキョン著、桑畑優香訳『BTSオン・ザ・ロード』玄光社、2021年(홍석경 저『BTS 길 위에서』어크로스 2020)

大衆文化、韓流の研究者であるホン・ソクキョン氏がBTSを取り巻く現象について書いた著作。BTSという現象を通じて、K-POPの世界的な流行や、ファンダムの活動などを論じる。

- 류진희／백문임／허윤 기획『페미돌로지：아이돌＋팬덤＋산업의 변신』빨간소금 2022(『フェミドロジー：アイドル＋ファンダム＋産業の変身』リュ・ジニ／ペク・ムニム／ホ・ユン企画、未邦訳)

タイトルのフェミドロジー(Femi-dology)という造語は、フェミニストの視点で分析されたアイドロジー(アイドル学)という意味である。K-POPアイドルとフェミニズムの関係性を13人の著者が読み解いていく。

- Webサイト

標準国語大辞典(https://krdict.korean.go.kr/)

高麗大学韓国語大辞典(https://ko.dict.naver.com)

ウリマルセム(우리말샘)(https://opendict.korean.go.kr/)

Naver open dictionary(http://dict-plugin.naver.com)

コラム　路地裏の韓国語

私が韓国文化に初めて触れたのは高校生の時だった。アジアの音楽を紹介する深夜番組で、重低音の効いたハードな音楽に合わせ、国旗の前で踊る韓国のグループを見て、衝撃を受けた。歌詞の意味はまったく分からなかったが、南北の統一を願う歌であるということを知った。非常に興味深かった。

その後、大学１年生の時に韓国に短期留学する機会に恵まれ、韓国への興味をさらに深めた。たった１カ月の滞在であったため、韓国語はほとんど話せるようにはならなかったが、異なる文化に触れ、毎日わくわくどきどきしながら過ごしたことを覚えている。

その当時、韓国の学生と話していると歴史の話が必ずといっていいほど出てきた。日韓の歴史についてよく知らなかった私はきちんと知るべきだと考えるようになった。そんなある日、ソウルで日韓の歴史について学ぶワークショップが開かれることを知り、参加することにした。

そのワークショップは、日本、韓国、在日コリアンの学生たちが、強制労働をさせられた方々の遺骨の発掘をしたり、フィールドワークをしながら日韓の歴史について学ぶ集まりだった。１週間近くソウルやその近郊をまわり、話し合うことで、現在も残り続ける歴史の傷跡を目の当たりにし、多くのことを感じた。

その後、韓国語を本格的に勉強したいと考えるようになり、韓国への留学を決意した。そして語学学校を終えた後、韓国語を使った仕事に就きたいと考えるようになった。そんな時、通訳と翻訳について学ぶことのできる韓国の通訳翻訳大学院の存在を知り、いつか通訳や翻訳者として活躍したいと夢見るようになった。大学院を卒業した後は、現在に至るまで韓国の大学で日本語や翻訳を教えている。

数年前、ドラマを見ていた私はある俳優のファンになり、その俳優の属するグループを推すようになった。そのグループに関する情報をSNSで収集していて不思議なことに気がついた。日本のK-POPファンダムでは、韓国語を日本語に訳すことなく、そのまま使い、理解している人たちが大勢いたのである。それらの言葉のやりとりを見ているうちにこの現象を紹介したい、と考えるようになった。

韓国語を勉強し、韓国の研究者として韓国に住んだ経験をもとに、韓国の研究をしている私たちが書いた本書をきっかけに韓国への理解が深まれば幸いである。本書を通じて、さまざまな角度から韓国を見つめ、多くのことを感じ取ってほしい。

8 格 差
――ミレニアル世代の経験から考える

朝比奈祐揮

はじめに

韓国は激烈な競争社会だといわれる。この国と縁のないわたしの母親ですらそう言っていたくらいだ。外国語、留学、インターン、資格、成績。わたしが勤めているソウルにある大学の学生たちを見ていても、「スペック」と称される、履歴書に書けるような経歴集めに奔走している人が多い。

こうした激しい競争の背景には、「漢江の奇跡」とよばれる1960年代以降の急激な経済成長が終わったあとに残った不平等がある。1953年に朝鮮戦争が休戦となった時、韓国は世界で最も貧しい国の一つだった。日本による植民地化をはじめとして、20世紀前半に起こった歴史的出来事は、韓国の支配階級に壊滅的なダメージを与えた。多くの人が「平等に貧しい社会」としての出発は、韓国市民の強い階級上昇への希求を形づくった。それから約70年の間に、乳児死亡率から平均寿命まで、あらゆる指標は改善を続け、人々の暮らしは間違いなく上向いた。一方で、社会保障の整備は社会構造が変化するその速さについていくことができなかった。こうした歪みは、経済が好調だった1997年に突然韓国を襲ったアジア経済危機(**keyword ❹**参照)をきっかけとして、一部の人たちの生活に暗い影を落とし始めた。いま、ソウル市内のマンションの1部屋平均価格は11億ウォン(約1億1000万円)を超え、決して裕福な地域とはいえないわたしの家の近くでもテスラやベンツなど高級車が行き交う。同時に、歩道では老人たちが生活のために腰を屈めて段ボールを拾い集めている。貧富の差が目につく社会で、いかに競争が激しくとも「勝ち残りたい」と思うのは普通のことだろう。

経済的不平等の広がりは韓国に限った現象ではない。けれども、日本の「さとり世代」は停滞する社会の現状に満足した「絶望の国の幸福な若者」(社会学者の古市憲寿による議論)であるのに対して、韓国の若者は「ヘル朝鮮(チョソン)」とよばれる封建的で不公正な社会に憤っているとされる。こうした議論は、ひとつの世代のメンバーがみな同じことを感じているという印象を与えるが、実際のところ、韓国や日本の若者ひとりひとりは何に苦しんだり、怒ったりしているのだろう？　答えをさがして、わたしは、2017〜18年に、ソウルと東京で約100人の若者から話を聞いたり、若者を支援する労働組合の活動に参加した。社会学者のはしくれであるわたしは、人から直接話を聞いてその文化について深く記述する文化人類学者と、大量の統計データを分析することを重視する経済学者たちの間ぐらいのところで活動している。個々人の経験とそれを取り巻く社会のしくみのあいだを行き来しながら、その双方を理解することが大切だと思うからだ。そういうわけで、この章では、わたしがソウルで話を聞いたミレニアル世代(1980年以降に生まれ、2000年代に成人になった20〜30代)の2人の経験をとおして、韓国社会の不平等の形について考えてみたい。

特に、われわれが「大人」になる過程の中で、社会から(特に東アジアでは)通るべきものとされている、3つのドアに注目したい。「良い」学校への進学、安定した仕事、結婚。韓国のミレニアル世代に何か特異なことがあるとすれば、それは彼女・彼らが通る1つ目のドアの軽さ(つまり、大学進学のあたりまえさ)と、2つ目、3つ目のドアの重さ(安定した仕事、結婚のめずらしさ)との差の大きさにある。韓国の人口の約2割を占めるミレニアル世代は、1980年以前に生まれたX世代と、1990年代後半から2010年代に生まれたZ世代の間にはさまれている。それ以前の世代と比較して、大卒者の割合が高いにもかかわらず、「大人」へのドアをくぐるのがそれまでの世代と比べて遅い、もしくは、くぐれない人が多い世代だ。こうした若者世代と、経済成長の時代に青春を謳歌し、こんにちの韓国社会において権力を握っているとされる50代以上の386世代(90年代に30代、80年代に大学に通った60年代生まれの世代)との間に存在する不平等は、韓国社会における重要な対立軸のひとつとなっている。これから紹介する2人の経験は、同世代の統計的「平均」ではないが、世代、教育、階級、ジェンダーを軸としてさまざまな差を生み出す社会構造と、それを生きる個人の経験について学ぶ助けとなるはずだ。

その2人は、ヨンジュンとエリム。ヨンジュンと会ったのは、江南(カンナム)駅近くのにぎやかな通りにあるカフェだった。その冬、ソウルをつらぬく漢江は凍って真っ白になっていたが、暑がりだというヨンジュンは、薄いレザーを模したビニールの黒いジャンパーの下にえんじ色のパーカーという薄着で平然としていた。彼は高校を卒業後、さまざまな非正規雇用の仕事をわたり歩いてきて、インタビュー当時、システムエンジニアになるための勉強をしていた。一通りカフェで話した後、江南のレストランは「クッパが8000ウォン〔約800円〕もするのに、量が少ない」というヨンジュンの提案で、彼の家の近くにあるテントの屋台で、スンデやトッポキ、天ぷらやオデンなどを食べつつ、寒さに凍えながらビールを飲んだ。エリムと会ったのは、屋台とは対照的な場所だった。当時、ソウルの新村(シンチョン)にある下宿の3畳ほどしかないような部屋に住んでいたわたしは、下宿のおばちゃんが大量のおかずを無理矢理皿にのせてくる、高校球児のような食生活に辟易としていた。そこで、美味しいものの安くはないメキシコ料理屋で自分を甘やかしていた時、たまたまエリムと隣り合わせた。薄手のセーターシャツに、ベージュのパンツをスラッと着こなすエリムは、名門大学の経営学部を卒業し、誰もがうらやむ大企業に勤めていた。

1　教育——開かれた機会と新しい階級闘争

1990年、ヨンジュンはソウルで生まれた。両親は自営業を営んでいて、家は必ずしも裕福ではなかった。再開発が進む地域で育った彼は、幼い頃から、自分とまわりの子どもの違いに敏感だったという。自宅のある地域に隣接する江南の高校に通っていた頃の経験を「あいだに川が一本あるんですけど、その川を越えたら全然違ってくる」という風に形容する。日本の文化に興味をもっていたヨンジュンは、日本の専門学校に通うために、独学で日本語を勉強していた。しかし、高校3年生の5月、両親から、彼を日本の学校に送る金銭的余裕がないことを告げられた。ウォール街に端を発した経済危機が、ヨンジュンの一家を直撃したためだった。「本当にテンパってたっていうか、ボーッとしてましたね。いったい何をすればいいんだろうと思いました。まぁ、それを引きずっちゃっていまに至るっていうことになるんですけど(笑いながら)」とヨンジュンは振り返る。

ヨンジュンと同じ年、エリムはソウル近郊の街で生まれた。両親はエリムが幼い頃に離婚し、母親は保険商品や化粧品の営業など、さまざまな仕事をしながら家計を支えた。教育熱心だった母親の強いすすめで、韓国で最難関校のひとつに数えられる、ある外国語高校に進学した。エリムはそこではじめて、地元では見たことのない、裕福な家庭出身の子どもたちを知った。「中学までは、友達はだいたい同じような感じだったけど、同じようなバックグラウンドというか…高校はまったく違った。それに、学費がものすごく高かったし。わたしの親はなんとか払っている感じだった」。高校は競争的な環境で、エリムたちは競いあうように、朝から晩まで勉強に明け暮れた。朝9時に授業が始まり、夕方5時か6時まで続く。簡単な夕食をとると、だいたい夜11時まで机に向かった。「勉強が一番ストレスだった…それに、本当に良い大学に行けるかわからない不透明さと…」と、エリムはいう。

努力の甲斐あって、エリムはソウルにある名門大学に合格した。

ヨンジュンとエリムの経験は、韓国の教育システムに起こった、一見相反するふたつの変化の影響を受けている。それは、過去数十年の間に、さまざまな人々に大学の門が開かれた一方で、教育の現場が階級闘争の新しい戦場となったことである。

韓国の教育制度は、日本とおなじく小・中・高・大のいわゆる6–3–3–4制で、中学校までが義務教育。1970年代のはじめに全国の中学校で入学試験が廃止され、かわりに公立・私立を問わず、住居のある学区内の学校に抽選で入学するしくみが導入された。1974年には、ソウルや釜山(プサン)で高校入試も廃止され、この流れはのちに全国に拡大した。いま、人口が集中する都市部のほとんどの場所では一部の高校を除いて入学試験が存在しないため、多くの若者にとって、高校3年次の大学入学のための選抜が人生ではじめて受ける入学試験である。これは、都市部の教育熱心な親が私立や国立などのエリート小学校・中学校に子どもを送る傾向のある日本とはやや異なる。

中学校の義務教育化が1984年頃から徐々にはじまった韓国では、1970年の時点で、女性は平均にしてわずか4年間の学校教育しか受けておらず、国民の大多数は小学校しか通っていなかった。にもかかわらず、みなが高等教育を受けるべきであるし、受けることができるという信念は、社会を広く覆っていた。1987年のある調査によれば、日本人の母親のわずか5人に1人が、そして韓国人の母親の実に5人に4人が、自分の娘を大学に進学させたいと考えていたという。エリムやヨンジュンの世代では、大多数の女性が4年制大学を卒業している。おそらく、世界中で最も教育程度の高い人口層だ。こうした教育熱を支えているのは、「貧しくても、親が大卒でなくても、女性でも、努力すれば良い大学に進学できる」という学力試験を通じた能力主義への信仰である。韓国の教育システムを平等な教育拡大の成功例として、しばしば絶賛していたアメリカのオバマ大統領にたいして、李明博(イミョンバク)大統領は、韓国では「極貧の人でさえも、自分の子どもに最高の教育を受けさせたがる」と語ったという。

同時に、教育は階級上昇をめぐる競争の場となった。教育熱心な親たちは、こぞって塾に子どもを通わせたり、家庭教師をつけたりする。特に江南の大峙(テチ)洞(ドン)は多くの学習塾が集まるメッカとなっていて、中には人気の塾の入学試験をパスするための教育を提供する塾さえある。くわえて、難関大学合格に有利だと考えられている高校に子どもを入学させる親もいる。ヨンジュンが通っていた高校のように、江南など裕福な学区にある普通高校はレベルの高い教育を提供しているとされ、富裕層は教育目的でこうした学区に居住する。また、一般的な高校よりもカリキュラムの自由度が高い自律型高校や、外国語や科学などに特化した特別目的高校などもある。これらの高校は、入学時に試験による選抜があり、エリムの親が「なんとか払っている感じだった」というように学費も高い。2016年には、最難関校とされるソウル大学合格者の半数が江南にある高校や、外国語高校など特殊な高校の卒業生だった。

裕福な家庭出身の子どもたちにだけ特別な教育を与えているという意味で、これらのエリート高校は、韓国社会の不平等の象徴となっている。2017年に文在寅(ムンジェイン)が大統領に就任すると、教育機会の平等化を掲げ、自律型高校や特別目的高校を廃止すると宣言した。また、大学入試も「定時募集」とよばれる、センター試験のような学力試験を中心とした選抜による入学者の割合が下げられ、「随時募集」と称される、日本のAO入試のような、エッセイや課外活動の結果を重視する試験が一般化した。しかし、本人の努力では簡単に変えることのできない文化的資本の重要性が高まった結果、エリート大学入学者に占めるエリート高校出身者の割合がさらに増加した、という皮肉な指摘もある。

「大学全入時代」に突入している韓国では、特に地方において定員割れを起こしている大学も少なくない。にもかかわらず、いわゆるSKY(ソウル大学・高麗大学・延世大学)や、「インソウル」とよばれるソウルにある一部のエリート大学を目指した競争はいまも熾烈だ。その背景には、広がる労働市場での格差と根強い学歴差別がある。

2　労働——複雑に広がる格差

ヨンジュンは、学費が安かった韓国の専門学校に進学した。しかし、そこでの日々は、彼が見ていた将来とはまったく違うものだった。結局、彼は学校を休学して、兵役で軍に入隊した。2年後、軍隊での生活を終えてソウルに戻ったものの、専門学校に復学するための学費が払えなかった。その後しばらくは、非正規雇用の仕事をしながら生計を立てる一方で、両親の仕事を無償で手伝った。そんな彼の状況を見かねた軍隊時代の友人に「そんなことをしていても未来がないぞ」と誘われ、友人の家族が経営する農場で住み込みで働いた。朝から晩まで、1日14時間畑に立つ仕事は、それまで経験してきた労働の中で最も過酷で、1年間で20 kg以上痩せた。けれど、ソウルでの生活同様、稲や大豆に囲まれて過ごす毎日にも、ヨンジュンは明るい未来を見出せなかった。

農場で貯めたわずかな貯金とワーキングホリデービザを持って、日本に引っ越した。日本での1年間は楽しかったという。1年後、韓国に戻った。また、1日12時間にわたる工場での長時間労働と、無償で家族の仕事を手伝う日々が始まった。ヨンジュンは「まぁ、いろんなところに面接行ってみたんですけど、高卒〔だから〕、韓国って学歴社会、まぁ日本も学歴社会だと思うんですけど。超学歴社会だから、大学出てこそ人間って感じがしました」という。

この状況を脱するために、30歳を目前にしてソウル市の若者支援政策の一環である就業支援プログラムに応募した。一定期間、市の支援を受けながら学校に通い、ITエンジニアとしてのスキルを身につければ、最初の職を斡旋してもらえるはずだった。「いま一番不安なのは、これ、知れば知るほど先が長いっていうのがわかってきて、やめようとは全然思ってないんですけど。とにかくこれしかないっていう感じなんで」。

2016年から2017年にかけて、朴槿恵大統領の退陣を求める抗議の波が韓国を駆けめぐった。そんな中、政治が自分の生活を変えてくれるというような期待もまた、ヨンジュンは共有していなかった。当時流行していたインターネットスラングを引き合いに出して「いま流行ってる言葉で、タルチョソン〔脱朝鮮〕っていう。韓国から離れた方が早いんじゃないかっていう考え方が蔓延してる。正直、わたしもそう思ってる」と語った。このプログラムを終えて就職できたら、通信制の大学を卒業して日本に移住するのが夢だというヨンジュンは「成功した時を描きながら、そうしないと、モチベーションが低くなるから」といって、自分のパソコンのデスクトップ画面に設定した東京タワーの画像を見ながら、毎日プログラミングの勉強をしていた。

一方、名門大学に進学したエリムは、卒業と同時に安定した大手の銀行に就職した。しかし、エリムの母親は、これが彼女にとって最善の選択だとは考えておらず、この仕事を認めてくれなかった。ソウルにある一部のエリート大学に進学した若者の多くは、親から「良い」仕事につくように期待される。一般的に最もステータスが高いと考えられているのは、裁判官や外交官などの上級国家公務員や、医師や弁護士などの専門職、LG やヒュンダイなどの財閥関連企業における正規職などだ。エリムも、上級国家公務員の採用試験のために勉強するように母親から諭されたが、聞かなかった。そういった経緯もあり、銀行における仕事はエリムにとって十分にステータスの高い仕事ではないと彼女の母は考えたようだ。

当初は希望していた企業に就職できて幸せだったエリムだが、いざ働き始めてみると、銀行は権威的な職場で、好奇心をかき立てられるようなことは少なかった。「特に悪いことがあった日は、家に帰ってきたらインターネットを開いて仕事を探した」というエリムだが、残業もあまりなく、定時に家に帰ることができて、毎月少なくない額の給料が口座に振り込まれたし、解雇される心配もなかった。彼女の会社では 2、3 年ごとに部署を異動するのが一般的であるため、エリムは別の部署を経て、自ら志望した金融関係の部署に移った。以前は金融業界への転職も考えていたエリムだったが、金融の仕事を実際にやってみると「思っていたよりつまらなかった」そうだ。

彼らにとってはすべてがお金に換算される。例えば、2 日前にイラクで爆

> 撃があったでしょ？　で、うちの部署ではみんな、「あぁ！　イラクで爆撃があった！　為替レートはいくらになるか(笑いながら)」、「いくら損失が出るか、いくら利益が出るか」、そういう感じで、すべてがコストとプロフィットに換算される。わたしが思うにはそれは…、正直言えば好きじゃない。

会社を辞めて、修士号を取得して関心のある分野で仕事を探すか、けれど、将来結婚するかもしれないことを考えると、いまの会社は理想的な職場である。それに、転職すれば、彼女いわく「新しい業界の1年生」になってしまう。エリムは悩んでいた。

大学を卒業した若者の多くが、安定した仕事を得ることを期待されるし、自身も期待する。しかし、2000年以降に大学を卒業したミレニアル世代を待っていたのは、これまで以上に大きな亀裂が走る労働市場だった。社会学者クー・ハーゲンは、現在の韓国社会には、2つの断層が走っていると指摘する。ひとつは、正規雇用／非正規雇用と大企業／中小企業という2つの軸からなる労働市場での格差。もうひとつは、労働による給与所得の差を超えた、少数の高額所得者とそれ以外の市民の間にある不平等。

社会保障が手厚ければ、アルバイトなど非正規雇用の仕事は必ずしも悪いものではない。収入が少なくても、自由のある働き方を望む人は一定数いるからだ。しかし、日本の非正規労働者の多くが主婦などのパート従業員の女性であるのに対して、韓国では、非正規雇用が主たる収入源である人が男女問わず多い。非正規雇用で働く人の賃金の平均は、正規雇用の人のそれと比べて半分ほどだ。一昔前には、最低賃金でフルタイムで働いても1カ月に約88万ウォン程度(約8万8000円)しか稼げないことから、「88万(パルシッパルマン)ウォン世代(セデ)」という造語が流行した。文在寅政権下で最低賃金は大幅に上昇したが、とはいっても時給約9000ウォン(約900円)にすぎない。国民年金や、国民皆保険の達成がそれぞれ1980年代の終わり、日本でいう生活保護にあたる国民基礎生活保障制度の導入が2000年頃と、社会保障の拡充が遅れてやってきた韓国では、こんにちでもセーフティネットの薄弱さが問題視されている。それゆえ、韓国の収入不平等の程度は他の先進国と比べてそれほど大きくないのに、人口に対する貧困層の割合が大きい。

1997年と2008年に起こった2つの経済危機は、韓国市民の未来の見方を変えた。こんにちの若者の間では、大企業や上級公務員などの安定した仕事の人気が高い。その限られた椅子の大半が、一部のエリート大学出身者によって占められている。翻って、非正規労働者の約7割の最終学歴は高校卒業か、それ以下である。韓国社会では「大学出てこそ人間って感じ」というヨンジュンの言葉は、こうした現状を映した実感である。

しかしエリート大学に入学すれば安泰というわけではない。就職活動もまた熾烈だからだ。韓国の大企業にも、定期採用とよばれる、日本の新卒一括採用と似た慣行がある。しかし、卒業が遅れると就職に不利になるとされる日本と比べて、「新卒」というカテゴリーに属する人の年齢層の幅が22歳から30歳くらいまでと幅広い。これは、大学在学中に男性が義務である2年間程度の兵役に行くことが多く、また、男女問わず、大学を休学することが一般的だからだ。選抜においても、日本の大企業が重視するとされる「コミュニケーション能力」などの、応募者の将来的な可能性をはかるための曖昧模糊とした指標ではなく、大学の成績、英語試験のスコア、インターンや海外留学の有無など具体的な数字や業務に関連した経験が重視される傾向にある。そのため、大学に長い期間在学し、20代を利用して「スペック」に磨きをかけたり、公務員試験に向けて勉強したりする人が多い。韓国では、就活に失敗したとしても翌年以降に再度挑戦するチャンスがあるともいえるが、同時に、就職活動をする人たちの層が厚いということでもあり、競争の過熱化を招いているともいえる。

エリムが語ったように、仕事にやりがいを感じられなかったり、将来的に役立つようなスキルが蓄積できない、というのは日本でも韓国でも大企業正社員に共通する悩みのようだ。しかし、非正規雇用の仕事では生活が成り立たない一方で、大企業正社員の平均賃金は非常に高い。くわえて、安定した収入をもち、ローンを借りられる社会的信用のある人たち(例えば、サムスンなどの大企業の従業員は低金利のローンを借りることができる)は、その富を投資などでさらに大きくしている。社会学者シン・グァンヨンが分析した2017年のデータによれば、最も収入の多い10%層が、最も収入の少ない10%層と比べて22倍の貯金をもっている。

経済成長期にミドルクラスの地位を得た人たちの多くが、都市部のマンションなど、不動産の転売によって財をなした、という韓国特有の背景もある。社会学者ヤン・ミュンジによると、過去半世紀の間に、ソウル市民の実質賃金は約15倍に増えたが、ソウルの地価は1176倍(！)に値上がりしたとも言われている。その中でも象徴的な存在が江南だ。江南とはソウル市を貫く漢江の南側の地域のことだが、狭義には瑞草(ソチョ)・江南・松坡(ソンパ)区の3つの行政区域をさす。1960年代までは公共交通機関などの基本的なインフラも欠いた田舎だったが、朴正熙(パクチョンヒ)政権下での大規模な再開発によって大きく変貌し、金融、教育、ファッションなどの中心地となった。親から子などに資産が生前譲渡される際に支払う贈与税を見ると、上述の江南3区だけで、ソウル市の51%、韓国全体の35%の税収を生み出している。ちなみに、韓国の人口における江南3区の住民の割合は約3%にすぎない(UPIニュース、2019年10月28日)。

かつて、階級不平等の最も重要な断層は、ミドルクラスとワーキングクラスの間にあると考えられていた。いま、江南に住むことができるようなミドルクラスの上層以上の人たちとそれ以外の人たちとの間に、大きな亀裂が走っている。ヨンジュンの「川を越えたら全然違ってくる」という言葉が、たんなる比喩以上のリアリティをもってしまっている。

3　ジェンダー——古い期待と新しい現実

2年後に再会した時、ヨンジュンは無事に就業支援のプログラムを修了していた。ソウル市が費用を負担する有給のインターンシップへの参加がきっかけとなって、はじめて正社員の職を手に入れ、ITエンジニアとしての一歩を踏み出すことができた。しかし日本のIT企業に勤務する友人たちから「いろいろ収入とか、技術の高さとか考えたら、むしろ韓国のほうがマシかもしれない」というアドバイスを受けたり、年々悪化する日韓関係を見て、日本で就職するという考えは捨てた。英語圏のIT会社に就職するという目標をもって、毎週末、勉強会に参加して、プログラミングの勉強をしている。結婚には興味がなく、親からプレッシャーをかけられることもないという。「恋愛はしたいんですけど」、忙しくて「そういう場合じゃないよな、みたいな」状況だという。

同じ冬、繁華街にあるカフェでエリムにも再会した。彼女の人生は安定していて、「何か報告することあるかなぁ」と言っていた。一方で、母親から課せられた期待に添うことができない、というエリムの葛藤は違う段階に突入していた。

> 29歳の時に、母といままでで一番大きな喧嘩をした。口喧嘩をしていた時に、母がつい「あんたは20代のすべてを無駄にした」と言ったから。〔中略〕わたしが10代の時は、一生懸命勉強して〇〇大学に入って、母はそれに満足して誇りに思ってた。でも、20歳を過ぎて〔大学を〕卒業したあとは、わたしの仕事やライフスタイルを認めてくれなかった。例えば、結婚せず、家庭に入らないこと、お金を貯めないこと。すべてを認めてくれなかった。それが〔母の口から〕出てきたのは、わたしにとってほんとうに大きなことだった。自分の母親からそんなことを言われるのは、ほんとうに、ほんとうに、辛かった。

このやりとりのあと、エリムは母にこう伝えた。「もうわたしは30歳だし、これはわたしの人生だから。わたしの人生について何か言う必要はないし、言うこともできないし、わたしに指図したり、評価したり、自分の尺度で成功や失敗を決めないでほしいって」。

ヨンジュンとは対照的に、エリムは朴槿恵大統領の罷免を求める抗議に2カ月間ほぼ毎週のように参加したという。2019年には、ハリウッドに端を発した性暴力に対するオンラインでの抗議運動、#MeToo運動が大きなうねりとなって韓国社会をゆるがしていた。その余波は、さまざまな性暴力の告発と、それに対するバックラッシュがもたらした、主にオンライン上での激しい対立という形をとった。エリム自身はこの運動に積極的に参加していたわけではないが、「職場での女性職員への性的な言葉とかは本当に多いし、ありふれてる」という。友人たちからしばしばこの話題について聞かされることもあり、共感するところが多いそうだ。

それに、職場における制度的な不平等も問題だという。

例えば、わたしの職場だと、男性は２年間軍隊に行ってるでしょ？ だから就職したらその２年間が職務経験に数えられて、最初から給料が高いし、女性より２年早く昇進する。問題は、給料〔に差をつけること〕そのものは法的に認められてるけど、昇進は法的に認められてない。昇進を男女で差別するのは違法だから。この間、ちょうど女友達たちとその話をしてたんだけど、みんな同じ経験をしてた。全員の会社で男性のほうが早く昇進するって。それは、本当に不公平だと思う。

こうした状況に憤りつつも、エリムはまた、深まるジェンダー対立について心配もしていた。

韓国はしばしば、「男性は外で働き、女性は家庭を守るべき」という、性別役割分業意識が強い社会という形で形容されてきた。エリムと「すごく保守的だし、違う世代の人」だという彼女の母親との間にあるわだかまりは、ここで見過ごされている点に気づかせてくれる。というのも、社会構造や制度の変化が極めて急速だった韓国では、ジェンダー意識に関しても、その他の政治的意識に関しても、非常に保守的な世代と、価値観が多様化している若い世代とが共存している。韓国のミレニアル世代は、親世代から押しつけられた古い期待と、新しい現実の交差点にいる。例えば、「男性が稼ぐべき」という期待と、増え続ける非正規雇用。大多数の女性が４年制大学を卒業する国にあって、「女性は良妻賢母であるべき」という期待。

ソウルで話した多くの若者が、結婚するためには、男性もしくはその両親が、夫婦の新居を用意しなければならないと感じていた。比較的高収入の大企業正社員にとってすら、2022年現在、平均的なマンションの価格が11億ウォンを超える街で、自分の収入だけで家を買って、家族を養っていくことは簡単なことではない。自分が生きていくだけで精一杯だというヨンジュンは、そうした社会的慣習を冷めた目で見ていた。

韓国ってそういうのあるんですよ、30歳超えたら結婚しないととか。まわりの目を気にしすぎて、結婚したら車これぐらいは持ってないと、とか。アパート〔日本でいう高層マンション〕に住んでないと、とか。そういう世間の目線ばっか気にしててどうなんだろうって。銀行ばっかもうかるだけじゃん。

一方、エリムたち韓国人女性の多くは、20代の前半までは、エリート大学への進学や社会的名声の高い仕事を得ることを期待される。男性と同じように。しかし、労働市場では、わかりやすい差別が彼女たちを待っている。2018年に大企業に職を得た人のうち3人に2人は男性だった。働いている人の4割以上は女性なのに、管理職についているのは10人に1人程度である。平均をみると、女性労働者の賃金は男性の7割程度にとどまっている。エリムも、同じ企業で、同じような仕事をしているにもかかわらず、男性が早く昇進するという状況に不公平を感じていた。それに、彼女たちの多くは、キャリアの追求と「一定の年齢に達したら家庭に入るべき」という2つの相反する期待にさらされている。苦労して安定した職を得た多くの高学歴女性にとって、結婚や出産によってキャリアを放棄することは受け入れがたい。しかし、長時間労働が常態化している韓国では、男性は平均すると女性の5分の1程度の時間しか無償の家事労働をしていないため(ちなみに、日本も同様である)、女性の肩にのせられた負担は大きい。

労働市場における差別だけでなく、社会生活全般における女性嫌悪や性暴力の問題も根強い。わたしが2017年にエリムやヨンジュンとはじめて会った時、多くの若者にとって、関心の中心は雇用難に関する問題だった。いま、ジェンダー不平等が彼女・彼らにとって最も重要な争点となっている。エリムが「問題はこういうこと。男性の視点からすると、彼らも大変なんだって。彼らは〔男性であることによって〕利益を得てるとかそんなことはなくて、むしろ20代から30代に大変な思いをしたって。軍隊に行かなきゃいけないし、結婚するために家を買わないといけないし」と、端的に指摘したように、男性からの反発は根強い。

ヨンジュンも深刻な性暴力の問題が報道されるのを見るにつけ、また、自分の妹が直面するであろう差別を考えると、ジェンダー不平等は改善されないといけないと思うという。同時に、ヨンジュンたち男性が20代の2年間を軍隊によって奪われたことを、「感謝とまではいわなくても、無視してほしくない」。

それに、採用枠への男女ごとの数の割り当てなど、彼のいう「フェミニスト政策」は「本当の意味の平等っていうより、逆差別されてるっていう感覚」があるため納得できない。「一番腹が立つのは、これに関して話をしようとすると同じ男性の50代以上の人から「小さいなぁ」と言われる」ことだという。経済の好調期に仕事を得て、男女間格差がいまよりも大きかった社会の中で男性であることによって利益を得てきた386世代の男性などが、教育達成などさまざまな面において格差が相対的に縮小し、男女がより対等な競争相手として限られたポジションを奪いあっているミレニアル世代の男性を差別的だと揶揄することには我慢ならないという。

エリムやヨンジュンの親世代にとって、「大人」への階段の3つ目のドア、結婚は「して当たり前」のことだった。いま、それはもはや現実的でも魅力的でもなくなりつつある。現在、30代男性の2人に1人、女性の約3人に1人が未婚だ。結婚関係の外で子どもを育てることが極めて稀な日本や韓国では、未婚率と子どもの数の間には強い関係性がある。人口を安定したレベルに保つために2.1は必要とされる、1人の女性が生涯に出産する子どもの数の平均は1を下回り、ソウル市内に限ると0.64という水準で、晩婚化・未婚化・少子高齢化のトレンドで世界の先頭にいる。もちろん、少子化の原因は非常に複雑であり、以上は、その背景の一部に過ぎない。けれども、多くの若者たちが相反する期待と現実のはざまで葛藤していることは事実である。

おわりに

ヨンジュンは最近、より良い待遇を提示してくれた会社に転職した。数年前と比べて、いまの方が断然幸せだという。

> その時〔2017年〕は前が見えなくて、いまがもう苦しい、そういう状態だったから。いまは、全部満足ではないけど、前を見れるようになったっていう感じですかね。真っ暗でも、若干先が見えるようになったっていう感じ。

エリムは「もう親からのプレッシャーを受けなくなったし、それについて考えることもあまりなくなった。それって、自分が個人的に成長して、以前より独立してるってことだと思う」という。

日本のマスメディアは、しばしば韓国の受験戦争や就職難などを取り上げては、韓国社会の過酷さを喧伝している。それを見て、「日本はまだマシだ」と胸をなで下ろす人がいる。一方で、韓国社会の進歩的な側面、例えば近年の#MeToo運動などを見て、「日本はなんて遅れているんだ！」と憤っている人もいる。韓国を病的なディストピアのようにとらえている人もいれば、ある種のユートピアのように考えている人もいる。しかし、不平等な社会を実際に生きる若者の目に映る韓国は、単純な地獄でも天国でもない。ヨンジュンは高卒であることによって課された制約に気づきつつも、少しずつ努力を重ねて「前を見れるようになった」。エリムは、社会から課された相反する期待に戸惑いながら、自分らしく生きる方法を探している。外から見た韓国社会の一面を、日本社会のそれと比較して一喜一憂するのではなく、肩にのせられた期待と、自分が直面する現実との差に戸惑いながらも、自分の可能性を開かせようとしている、個々人のしなやかさに目を向けられるかどうか。2人の経験が何かわたしたちに教えてくれることがあるとすれば、そういうことだと思う。

リーディングリスト

- **ソン・ウォンピョン著、矢島暁子訳『三十の反撃』祥伝社、2021年**（손원평『서른의 반격』은행나무 2017）

1988年生まれの非正規労働者の女性が主人公の小説。韓国社会を生きる若者の悩みがよく描かれていて、読み進めるうちにソウルの風景が浮かんでくるはずだ。それに、日本の若者も共感できる部分が多いのではないかと思う。90年生まれのわたしも「あー、わかるわかる」とうなずきながら読んだ。

- **イ・ヘミ著、伊東順子訳『搾取都市、ソウル――韓国最底辺住宅街の人びと』筑摩書房、2022年**（이혜미『착취도시, 서울: 당신이 모르는 도시의 미궁에 대한 탐색』글항아리 2020）

新聞記者の著者が、ソウルに多数存在する極狭の違法住宅が富裕層による収奪の装置となっていることを取材を通して明らかにしている。特に学生街の「コシウォン」や「ワンルーム」に暮らす若者の貧困がテーマの第二部は、韓国の大学や語学堂で学ぶ留学生にとっても他人ごとではない。

- **有田伸『韓国の教育と社会階層――「学歴社会」への実証的アプローチ』東**

京大学出版会、2006 年

韓国が「学歴社会」だということは広く知られているが、そうした議論はしばしば系統だったデータではなく断片的なエピソードをもとにしている。雇用や教育における不平等を日韓社会の比較の視点から研究する著者は、そうした「学歴社会」イメージの裏側にある資源分配の構造と教育との結びつきを実証的に検証した。わたしも、この本に限らず有田伸先生の著作から多くを学ばせてもらった。

● 이철승『불평등의 세대: 누가 한국 사회를 불평등하게 만들었는가』문학과지성사 2019（イ・チョルスン『不平等の世代——だれが韓国社会を不平等にしたのか』、未邦訳）

アメリカ社会学の中心地シカゴ大学で教鞭をとっていた著者が、豊富な統計データを駆使して、いかにして「386 世代」が韓国社会において大きな権力をもつにいたったかを論じた本。なぜ、韓国ではしばしば不平等の問題が世代間対立というかたちで議論されるのかを理解したい人に。

● 박권일『한국의 능력주의: 한국인이 기꺼이 참거나 죽어도 못 참는 것에 대하여』이데아 2021（パク・クォニル『韓国の能力主義——韓国人がよろこんで我慢することや、死んでも我慢できないことについて』、未邦訳）

「88 万ウォン世代」という言葉を作った著者による新刊。「不平等は我慢しても、不公正は我慢できない」人が多いという、韓国社会の隅々まで行きわたった能力主義の特徴について論じている。竹内洋『日本のメリトクラシー』や苅谷剛彦『大衆教育社会のゆくえ』などの日本の能力主義に関する古典と一緒に読んでもおもしろいと思う。

コラム 根拠のない直感から

わたしは、日本の社会運動や政治について勉強したいと思い、2013 年にその道の専門家のパトリシア・スタインホフ先生がいるハワイ大学の社会学部に大学院生として入学した。そこで韓国出身の友人ができて、韓国社会に興味をもった。逆に言うと、それまで韓国についてはほぼ何も知らなかった。90 年代の経済危機を経た韓国では（keyword ❹）、教育熱が非常に高く、英語圏の大学の学位の人気もすさまじい。父親が韓国に残ってお金を送金し、母親と子どもが教育のために英語圏に移住するキロギアッパ（渡り鳥お父さん）という家族のあり方が流行語になったほどだ。現在、アメリカの社会学の大学院で学ぶ日本人留学生はかなり少ない。それゆえ、比較的似た境遇のアジア各国出身の学生と話す機会が多くなる。日本と韓国が外交レベルでいがみあっていても、アメリカでは日本人も韓国人も同じ「アジア人」だ。中国や台湾、韓国の学生たちとの国籍の違いよりも、英語がうまく話せなかったり、アメリカの食生活の貧しさに憤慨したり、といった共通の悩みに目が向くのは自然なことだった。ハワイではハーゲン・クー先生という韓国出身のベテラン社会学者が懇切に指導してくれた。また、より重要なことだが、しばしばご飯とお酒をおごってくれた。そんななりゆきで、特に彼の生徒たちと仲良くなった。

そのころ、クー先生とスタインホフ先生は、「東アジア社会の比較分析」という授業を共同で教えていた。その授業で、さまざまな地域や国出身の学生たちと東アジア社会が直面する問題について議論するのは、毎週の楽しみだった。そこで韓国出身の学生たちから聞いた、韓国社会における若者の不平等への怒りは、日本でのんびりと過ごしてきたわたしには衝撃的だった。そして、「日本と韓国のように似た社会において、ひとびとの不平等に対する態度が違うというのは、社会学的におもしろい問題だ！」という確信を得た。根拠などない単なる直感だが。

韓国についてほぼ何も知らないのに、「誰かがこのテーマについて書かなくてはならない！」と、大学院生寮で激安ワインをがぶ飲みしながら怪気炎をあげたわたしは、気がつくと、ハワイ出身のK-POP好き大学1年生たちに囲まれて初級韓国語の授業の教室に座っていた。その後、ソウルでの現地調査を経て、韓国の友人たちや、この本の著者の先生方の助けのおかげで、無謀と思われたこの博士論文は一応完成した。いまは、ソウルにある大学で社会学と日本社会について教えている。考えてみると、いつもわたしが韓国の人たちから何かをもらってばかりだが、そろそろ何か貢献できるようになりたいところだ。

keyword ❹

1997年のアジア経済危機と韓国

1997年に起こったアジア経済危機をぬきにして、現代韓国社会について考えることはできない。

韓国は1970、80年代の急激な経済成長を経て、1996年に「富裕な国の会員制クラブ」と揶揄されるOECD(経済協力開発機構)に加盟した。この時、経済成長の先に待っているのが国家の破産だとは、多くの市民は知るよしもなかった。その翌年の夏、機関投資家による大規模な通貨の空売りをきっかけとして、タイ・バーツの価値が暴落すると、その影響はアジア全体に波及した。韓国では、秋までに韓宝(ハンボ)鉄鋼や起亜(キア)自動車など多くの大企業が破産状態に陥り、スタンダード＆プアーズやムーディーズなどの格付け機関は韓国の国家信用格付けを下げた。投資家たちが資金をひきあげた結果、11月には、韓国政府は返すことのできない借金を抱えた事実上の破産状態に陥り、金泳三(キムヨンサム)政権はIMF(国際通貨基金)からの資金援助と引き換えに、構造調整プログラムの受け入れを余儀なくされた。韓国では、IMFによる介入を受け入れた日を、1910年の日韓併合になぞらえて「2度目の国辱の日」と呼ぶこともある。構造調整プログラムの内容は、金融市場の規制緩和、公的事業の民営化、財閥企業の改革、労働市場の柔軟化など多岐にわたったが、国家による経済への介入を最小限にとどめ、市場における競争を推奨する仕組みをつくる、という目的は共通していた。与党にとって逆風吹きすさぶ中での12月の大統領選挙では、野党候補の金大中(キムデジュン)が僅差で当選し、民主化以降はじめての政権交代を果たした。

映画『国家が破産する日』(2018年)では、経済危機のさなか、職や住む場所を失った人々と、韓国経済が破綻するという可能性に賭けて財をなした投資家という2つのグループがそれぞれ描かれていて示唆的である。98年2月には政府・労働組合・企業の三者で構成される労使政委員会での合意に基づいた労働基準法の改正による整理解雇規制の緩和(例えば、業績不振を理由とした一方的な解雇などが容易になった)が行われ、その後大量の失業者を生むこととなった。早期退職の奨励や整理解雇が進み、1998年末までに累計で200万人の人が仕事を失ったともいわれる。特に高齢者と女性が雇い止めの中心的なターゲットになった。労働者派遣制度の導入など、不安定な非正規雇用の法的規制が緩和された一方で、正規雇用労働者の採用は控えられた。保守的だとしばしば批判される政府統計でも、アルバイトなどの非正規労働者の労働人口に占める割合は、1995年から2000年の5年間で42%から52%に増加した（この値には「短期雇用者」と「日雇い労働者」も含む）。

韓国ではもともと、労働人口における自営業者や家族経営の小規模ビジネスの割合が他国に比べて高く、過剰競争ともいえる状況にあった。1997年の経済危機は、そうした人たちの暮らしをより苦しいものとした。国家による十分な社会保障を欠いたまま都市化が進んでいたため、家族に頼ることもできず、貧困状態に陥った人たちは少なくなかった。一方で、金融商品や不動産に投資する資金をもった人たちにとって、経済危機は千載一遇のチャンスとなった。また、検察官や裁判官などの一部の国家公務員や医者などの専門職に従事している人たちは大きな影響を受けなかった。結果として、アジア経済危機とそれによる規制緩和措置は、新たな不安定層と富裕層をつくりだした。

（友岡有希・朝比奈祐揮）

9 働くことから考えるオルタナティブ経済

友岡有希

はじめに

1997年のアジア経済危機以降、韓国経済は大きな転換期を迎えた(詳しくはkeyword ❹参照)。特に働くことを取り巻く環境は、労働市場の柔軟化政策により整理解雇制度や有期雇用、労働者派遣制度が導入され、労働法の保護を受けられない非正規雇用労働者の増加をもたらした。企業は利益追求のために「合理的な経営」を優先し、業績を安定させるために経費削減等の一環として正規雇用労働者を有期雇用や派遣労働者等の非正規雇用労働者に代替し、必要に応じて解雇しやすくするしくみが定着していく。

年齢や性別、障がいの有無により正規雇用の職に就きにくい層が存在すること。また、就業できたとしても性別や雇用形態等による賃金格差等の差別が存在することは、労働に関わる長年の課題である。これは、韓国だけではなく日本の労働市場においても共通の課題だ。

韓国の労働市場の変化は、これら既存の課題と併せてワーキングプアの増加や経済格差の拡大をもたらし、2000年代以降の社会問題として浮上する。これにより「貧困」や「格差の拡大」が、遠い貧しい国の問題だけではなく、先進国と言われる韓国でも身近な問題と認識されるようになった。

韓国で「働く」と聞いた時、どんなイメージが浮かぶだろう。財閥企業でバリバリ働くスーツ姿だろうか。屋台やチキン屋さんで働くお母さんたちの姿、カフェの若い店員さんかもしれない。あなた自身は「働く」ことにどんなイメージをもっているだろう。

働くということを企業に雇われること(雇用労働)を前提にして考えると、齢を重ねるごとに不安が増える状況にあるのではないか。採用の際の年齢制限や職歴・経歴の有無、ジェンダー等、雇ってもらうための多様な条件は齢を重ねることに不利になることも多いが、それらは働きたいと望む人にとって公平で平等な基準となっているだろうか。この基準に自分を合わせようとする時、苦しくなったり、できない自分を責めたりした経験はないだろうか。

格差という言葉に触れる機会が増えてきているが、私たち一人ひとりの暮らしに置き換えて考えてみても、貧困や格差の問題は、働くことに関することだけではなく、少子高齢化、地域産業の衰退など暮らしを取り巻く社会的な課題と紐づいている。これらの課題から目をそらさずにいると、その現状を知るだけで、働くことや生きることに悲観的になってしまうかもしれない。

日本や韓国の労働問題に接しながら、歳を重ねるたびに私自身も漠然と働くことや生活の不安を抱えながら暮らしていた。その時に出会ったのが「社会的企業」という事業形態だった。事業を通して社会貢献をするという企業のありかた、年齢や性別、経歴に関係なく、社会的弱者と言われる人たちも一緒に働ける場所をつくることができるしくみだ。韓国では、失業対策や雇用政策としての公的な「雇用創出」の枠組みを超えて、誰もが参加でき、働くこと(＝社会参画)を通してよりよい暮らしや社会をつくる一員となるための活動や、相互理解や助け合いを通して、新たな社会的価値の創造を目指す取り組みがじわじわと広がりをみせている。それが「社会的経済」活動である。

この活動を知った時、わくわくしたのを覚えている。いろいろな理由で働きづらい人たちが、自分たちで働く場所をつくること、事業を通して地域課題を解決するため活動ができるようになることは、条件に縛られて雇ってもらえるか……という、働くことへの漠然とした不安を解消する一つの方法になるのではないかと考えた。

本章では、韓国の社会的経済の取り組みについて紹介する。もし働くことに不安があったり、モヤモヤを抱いている方がいれば、小さなわくわくのお裾分けをしてみたい。

1　社会的経済について

(1)社会的経済

韓国では、2000年以降、関連するさまざまな制度がつくられ「社会的経済」という概念が整理されてきている。「経済」という言葉が表すとおり、実にさまざまな分野で社会的経済組織による事業活動が行われている。農林業、食品製造、運輸、介護や子育て事業、出版、医療、再生可能エネルギー、デザイン、飲食業等……。一般的な会社と異なる点は、地域課題の解決や地域コミュニティの再生、排除されがちな生活困窮者や障がい者、女性、移民等の社会的弱者やシニア世代の社会参画機会の提供(雇用創出)を実践することを目標としていることである。さらには、活動において人と人のつながりを大切にし、「人が尊重される」働き方や社会的価値を追求するための取り組みとされている点である。つまり、一人の人として尊重される働き方を通して、雇用の問題だけではなく、衰退する地方経済の再生、エシカルな生産と消費の流通網の構築、医療や福祉サービスの充実等、現代社会に存在する多様な社会的課題の解決を目標とする組織の経済活動を意味する。このような働く人たちの多様性や組織の活動目的から、社会的経済は、市場原理を優先し、企業の資本増大や利益の追求を基盤とする資本主義経済のありかたに対するオルタナティブな経済システムとも言われている。

現在韓国では、社会的経済を構成する組織体として、自活企業・社会的企業・マウル企業・協同組合が活動しており、これら組織を総称して社会的経済組織という(**表 1** 参照)。

(2)社会的経済に関する制度と組織

韓国では2000年以降、社会的経済に関する制度・法律が次々に成立した。その背景には、アジア経済危機以降の労働市場の変化に対応するための社会保障制度や社会政策の転換がある。1997年の経済危機当時、障がいや疾病、高齢等により働く能力のない人に対象を限定した生活保護法は、大量に発生した失業者の救済に機能しなかった。国の制度が機能しない中、なんとかしようと立ち上がったのが市民たちだった。市民活動団体が集まり「失業克服運動」が展開され、生活物資の提供や無料の職業相談所を開設するなどしながら失業者の暮らしを支えてきた。

それら市民活動側の政策提言等を経て、生活保護法の改正が進み、失業者やワーキングプア、脆弱階層と言われる生活困窮者に対象を拡大し、最低限の生活を国が保障する公的扶助制度として、2000年10月に生活保護法は「国民基

表1　社会的経済組織の類型

自活企業 根拠法： 国民基礎生活保障法(2000)、 自活企業認定制度(2012) 所轄官庁：保健福祉部	定義：地域自活センターの自活勤労事業により習得した技術をもとに1人または2人以上の受給者、低所得層の住民が生産者協同組合や共同事業者の形で運営する企業。 特徴：生活保護世帯、生活困窮者層が就労訓練等を通して経済活動に参画する機会を提供する自活勤労事業から起業し、経済活動を行う。
社会的企業 根拠法：社会的企業育成法(2007) 所轄官庁：雇用労働部	定義：脆弱階層(社会的弱者)に社会サービスまたは働く場を提供したり、地域社会に貢献したりしながら地域住民の暮らしの質を高める等の社会的な目的を追求しながら財貨及びサービスを生産・販売する企業。 特徴：事業の目的に合わせて脆弱階層(社会的弱者)の雇用比率を20〜30% 以上とする。
マウル企業 根拠法：マウル企業育成事業施行指針(2011) 所轄官庁：行政安全部 ※マウルは韓国語で「村」という意味	定義：地域住民が各種の地域資源を活用した収益事業を行うことで地域課題を解決し、所得及び働く場を作り地域共同体の利益を効果的に実現するために設立・運営されるマウル単位の企業。 特徴：居住地を中心に住民間の助け合いの関係を深め、地域資源の活用によりコミュニティを再生する。
協同組合 根拠法：協同組合基本法(2012) 所轄官庁：企画財政部	定義：組合員の必要に応じ自発的に結成され、協同で所有し民主的に運営される事業体。その中の社会的協同組合は、組合の目的そのものが地域住民の共益・福利の増進と関わる事業を行う、または脆弱階層(社会的弱者)に社会サービスや働く場を提供するために営利活動を行う。 特徴：1人1票の権利をすべての従事者が有し、対等な関係で組織運営に参画する。農協や生協、漁業協同組合、森林組合は特別法が別途にあるが、業種を問わず協同組合を設立できる法律が制定されたことで、多様な業種に人々が参画できる組織がつくられた。また、非営利活動法人として、社会的協同組合の設立が可能となった。 ※本稿では、協同組合基本法に基づき設立・運営されている協同組合について言及する。

政府資料をもとに筆者作成

礎生活保障法」に改定された。同法は、金大中(キムデジュン)政権が掲げた「生産的福祉(workfare)」の実現を目指し、これまでの生活保護の機能に、働く能力のある人に対し職業訓練等により経済的な自立を促す「自活事業」が盛り込まれた、新しい公的扶助制度となった。国民基礎生活保障法では、「国民誰もが自立的かつ主体的に経済及び社会活動に参加できる機会を拡大すること」が目的に追加され、貧困を予防し、「働くこと」を通して社会とのつながり(社会参画の機会)をつくり、給付だけではなし得なかった暮らしの経済的な改善を図る制度へと転換したのである。この改定以降、韓国の貧困や格差拡大を解決するための福祉的制度や社会政策の中に、「雇用の創出」が重要なテーマとして盛り込まれるようになっていく。

雇用の創出、社会参画の機会の提供という側面からさまざまな支援制度が整えられる中、2000年の国民基礎生活保障法への改定に伴う自活支援事業の開始、2007年にアジア地域で初めて制定された社会的企業育成法、2011年の行政安全部によるマウル企業育成事業施行指針、そして2012年に協同組合基本法が制定されたことにより、社会的経済組織の法的基盤が急速に整えられた(各法制度と組織の特徴は、表1参照)。

また、法の整備だけではなくこれらの法律や政策には事業体の設立・運営支援(人件費や家賃補助、教育・研修プログラム、経営サポート等)が盛り込まれており、積極的な事業体の育成支援が国や地方自治体を通して行われている点は、韓国における社会的経済活動の特徴といえる。

社会的経済組織は2021年度には全国で2万8041組織(社会的企業3215、協同組合2万2132、マウル企業1697、自活企業997:重複あり)が活動している。年間増加率は10%を超えており、従事者は約15万人。また、それらの設立や運営をサポートする地方自治体単位の支援センターの設置、社会的金融組織の増加(信用組合や民間財団等との連携による資金面でのサポート体制の強化)、サービスや商品の販売ネットワークの構築等、社会的経済組織を支えるしくみも構築されている。

社会的経済組織の活動分野は多岐にわたるが、雇用の創出・安定雇用・市民の経済活動への参加の拡大が共通の目的である。また、活動を通して格差の解消・社会的セーフティネットの拡大・地域の共同体(助け合いの関係)再生を目標としている。年齢や性別、障がいのあるなしにかかわらず市民が参加し、事業の運営を民主的に行うこと、働く人が「人として尊重される」働き方を実現することで、経済活動を通して身近にある生きづらさや困難を解決する取り組みが、社会的経済活動の特徴といえる。

2　社会的経済組織で働く人たち

では実際にどのような社会的経済活動が行われているのか、一部ではあるが筆者によるインタビュー等をもとに紹介する。社会的経済の目的がどのように実践されているのか、またそこで働く人たちがどのような考えや想いで社会的経済活動に参加しているのかを探る。

【事例1】ハーブ園で自分の人生をつくる――自活企業「ハーブ物語」

韓国北部の江原道原州（カンウォンドウォンジュ）市にある自活企業「ハーブ物語」。自家栽培したオーガニックハーブのお茶やアロマ製品、石鹸などを製造販売している。ハーブ物語を立ち上げたオ・インスクさんは、夫の事業倒産、自身の闘病や中高年期に差しかかった年齢等もあり仕事にも出られず、経済的に苦しい生活が続いていた。当時、知人に自治体の自活事業(生活保護受給者や生活困窮者を対象に職業訓練や生活改善プログラムを提供し経済的自立を促す制度)を紹介されたことをきっかけに、社会復帰に向けて動き始めた。

自活勤労事業団に参加し、病院での入院患者の付き添いの仕事を始める。事業団では、介護や清掃、縫製やクリーニング等の技術を学ぶことができ、希望すれば事業団の仲間と一緒に自活企業として起業することができる。事業団で働きながら実際に事業を立ち上げて地域に役立つ仕事をしている人たちをみて、「私も働く場を作るために何かできるかも」と勇気をもらい、始めたのが「ハーブ物語」だ。

ハーブ園を作ったきっかけは、庭で育てているハーブが庭先を行き来する人たちから好評だったこと。趣味で育てていたが、もっと知識を増やそうとハーブやハーブティ、アロマテラピーの勉強を始め、2010年に本格的にハーブ園をオープンした。ハーブの栽培や商品販売だけではなく、地域住民を対象にした体験プログラムを多様に行い、人気を集めている。

ハーブ物語は、2014年に自活企業として認定された。認定には、生活保護受給者や生活困窮者が構成員のうち3分の1以上を占めること、最低賃金以上の給与の保障等が定められている。ハーブ物語は、就労訓練の場所として自活勤労事業団と継続して連携しており、経済的な自立を目指す30名ほどが自活就労者として一緒に働いている。働く仲間は、疾病がある人、アルコール中毒、障がいのある人などさまざまだ。心身ともに生きづらさを抱える人たちが多いが、自然の中で土に触れ、植物が育つ過程に携わることで心も体も健康になっていく。

> 私たちはここで働きたいという人がいれば、その人の年齢や経歴等ではなく、きちんと話ができお互いに心が通じ合える人かどうかだけを見ます。自活事業に参加する人たちの多くが心に傷を負っています。ハーブ物語で働きながらいろいろな人たちと交流し、傷を癒して、気持ちを通わせ、分かち合うことができるようになることが社会復帰に通じる道だと思います。私自身も仕事を通して協同して働きながらお互いを理解し合うということを学びました。誰かと話をして分かり合うということは苦手な方でしたが、それを学べたことで社会をより肯定的に見られるようになりました。そうやって私自身も変わる機会を得たと思っています。
>
> （オ・インスク代表）

オ・インスクさん

人生はいつでもやり直すことができる。一人でできないことも助け合うことを大切にする人たちと出会う機会さえあれば、やり直しの一歩となる。自活企業は、社会的に困難を抱える人たちと働くことを通して、人とつながり助け合いながら暮らせる社会をつくることを目標に活動している。

【事例2】熟練労働者とのコラボで若手デザイナーの働く場づくりと技術の継承――社会的企業「０００間（コンコンコンガン）」

ソウル市鐘路（チョンノ）区昌信（チャンシン）洞は、東大門（トムデムン）のすぐそばにある1970〜80年代の韓国の軽工業を支えた縫製工場の密集地だ。当時は10〜20代の女性たちが朝から晩までミシンを踏む音が響いていたエリアだ。産業構造の変化とともに街の風景は少しずつ変わってきたが、現在もなお980を超える零細な縫製工場が残る縫製の街として知られている。ここに2012年、社会的企業「000間」が設立された。

000間は、社会問題の解決を目的とし、地域の資源を活かしたデザインと持

シン・ユネさん

ハギレを使ったクッション

続可能な都市づくりのためのコンテンツ開発を行う社会的企業である。また、若いデザイナーたちが活躍できる働きやすい職場であることを大切にしている。０００間（コンコンコンガン）は、共感（コンガム）・共有（コンユ）・共生（コンセン）の空間（コンガン）(場所)という意味を込めたプロジェクトだ。

創設者の一人であるシン・ユネさんは、2011年昌信洞の児童館で美術講師として働いていた時に地域の魅力を知った。通勤時に毎日のように見る路肩に捨てられているハギレの山。ひとつの工場で１日に何百枚もの衣料品を生産するため、地域全体で捨てられる１日あたりのハギレの量は約22トン、年間約88万トンにものぼる。衣料品の生産過程で生じる環境汚染と資源の浪費のニュースを見て、このハギレの山が気になっていた。毎日大量に捨てられるこのハギレを、環境にやさしい活動でリサイクルすることはできないかと考えるようになる。

最初は、児童館でハギレを使ったアート活動ワークショップを開いた。捨てられたハギレを集めてみると生地の柄や色、質から季節を感じることができた。それが面白く、ハギレにさらに興味をもつようになった。また、児童館に通う子どもたちの保護者には、昌信洞の縫製工場で働いている人が多いことも知り、それが地域を身近に感じるきっかけとなった。

事業として活動を始め、最初に商品化したのがハギレを詰めて作るクッション。

こうしてハギレの再利用を始めてみると、服を作る工程そのものを見直し、ハギレが出ないようなデザインができないかを考えるようになる。デザインを提供すれば、工場の人たちとのコラボで商品が作れるかもしれない……。縫製工場の実情を知るために工場訪問を始めたところ、工場の仕事は季節により受注量が変動することを知り、働く人たちが安定して仕事を受注できるしくみの必要性を知る。そこで提案したのが資源を最大限に活用し、環境にもやさしい

「ゼロ・ウェイストデザイン」活動である。シン・ユネさんがデザイン案を出し、昌信洞で何十年も働いている熟練技術者たちと生産工程を考えることを繰り返す。その過程で対等な立場で若手のデザイナーと熟練技術者が協力し合える関係が育まれ、新たな商品が完成していく。

また、000 間で一緒に働く仲間は、20〜30 代のデザイナーや芸術活動を生業とする若者たち。デザイナーの多くはフリーランスで働くが、仕事の機会も不安定で、若いというだけで不当な扱いを受けることも少なくない。そして自由な創作活動をする時間も限られ、多彩な才能が実ることなく消えていくことも多い。誰かに与えてもらう仕事ではなく、自分たちで社会にある資源の価値を見直し仕事をつくることで、自由で創造的な職場を一緒につくっている。

> ゼロから始めた活動でしたが、その原動力は「共感」でした。課題解決のために地域を回り、想いを伝え共感してくれた人たちと協力の輪を広げてきました。環境問題や地域課題に興味を持ち、ゼロ・ウェイストデザインに共感してくれる人たちと商品開発をしながら地域に仕事をつくる。商品のストーリーを消費者に伝え、身の回りの環境や消費行動の見直しを提案し、それに共感してくれる人たちを増やしていくこと。人と人のつながりが希薄と言われる都市の中に共感の輪を広げながら持続可能な地域づくりを続けていきたいです。
>
> （シン・ユネ代表）

仕事を生み出し若いデザイナーたちの働く場所を一緒につくること、地域の特徴を活かした商品を開発し環境にやさしい経済活動を実現すること、生産から消費まで環境に配慮した新たな商品価値を広く社会に定着させることが、持続可能な社会づくりにつながると信じている。

【事例 3】得意なことを発揮する働き方——社会的企業「BEAR. BETTER.（ベアー ベター）」

ソウル市聖水洞（ソンスドン）にある社会的企業の「BEAR. BETTER.」は、発達障がいがある人たちが働ける場をつくることを目的に 2012 年に設立された。印刷業・製菓業・コーヒー焙煎とカフェ運営・生花店の 4 部門で約 280 名が働いているが、そのうち約 220 名は発達障がいがある人たちだ。

設立者の一人であるイ・ジニさんは、発達障がいと診断された息子が将来働ける場所をつくりたいという想いから BEAR. BETTER. を起業した。大企業で働いていた経験から、企業人が必要とするものを生産することをコンセプトとし、最初に名刺印刷事業を始めた。デザイン等の専門的な作業はデザイナーが担うが、印刷工程は、設備投資をし作業を細分化することで発達障がいがある職員が担っている。

発達障がいの特性はさまざまだ。複数の工程を一人でこなすのは難しくても、製版、数合わせ、仕分け等の工程を一人ひとりが担うことで商品が作られる。人との関わりは苦手でも、作業にすごい集中力を発揮する人もいれば、細かいところまでチェックすることができる人もいる。仕事に人を合わせるのではなく、人に仕事を合わせて作業ができるように工夫することで、障がいがあっても働ける環境をつくっている。

印刷業の他に、クッキー等の製菓業やコーヒーの焙煎等を行うカフェ事業、花束や花輪を作り配達する生花事業も立ち上げ、より多くの人たちが働ける企業として発展させてきた。これらすべての事業に共通する工程が、注文元に直接配達をすることだ。

> できあがった製品は直接企業に配達します。実はこの配達する仕事で1日約100名が働いています。理由はよく分かりませんが、発達障がいがある人たちの多くは地下鉄を利用することを好みます。路線をすべて覚えている人もいます。私の息子もそうでした。配達の工程は、彼らが好きなことが仕事となるようにと思い、つくりました。どの事業でも「シンプルな仕事」へと細分化し、商品は直接配達しています。 （イ・ジニ代表）

また、韓国の障がい者雇用促進制度を利用することで取引先も増やしている。韓国でも日本と同様に企業の障がい者雇用率(従業員50人以上の民間企業は3.1%)が定められているが、まだまだ障がい者雇用率は低い水準にある。企業は障がい者雇用率未達成の場合、罰則金を支払うが、BEAR. BETTER. のような障がい者雇用に取り組む事業体と認定された企業に仕事を発注することで、自社の障がい者雇用未達成による罰金額が減免される(障がい者雇用促進のために実施されている「連携雇用負担金減免制度」の活用)。また、発注先の事業体で働く障がいがある人たちが増えれば減免額も上がるという。

名刺印刷の作業のようす

知的障がいや身体障がいとは異なり、発達障がいは人から認知されにくい。前者は相対的に減っているが、発達障がいは特に若者で診断例が増えている。少子高齢化が深刻な問題となっている韓国では、将来的な労働人口の減少が心配されているが、発達障がいがある人たちがいまよりもっと社会で働くことが求められる時代がくるとイ・ジニさんは予測している。

イ・ジニさん

一般企業での雇用はまだまだ課題も多い。BEAR. BETTER. の取り組みがモデルとなり、韓国社会で発達障がいへの理解が深まり、彼らが集い、働くことができる場所が増えていくことを期待している。

【事例 4】働く仲間で会社を所有し運営する――労働者協同組合「ウジン交通」

韓国中央部に位置する忠清北道清州市(チュンチョンブクドチョンジュ)には少し変わったバス運行会社がある。労働者が所有し自主管理する労働者協同組合「ウジン交通」だ。会社が倒産の危機に直面した際に、労使交渉の末、労働者たちが継業し労働者協同組合に転換(2005年)したという歴史を持つ。

仲間を失業者にしたくないという思い、労使交渉の中で代表や一部の役員が利益を吸い上げ、毎日実直に働く仲間が搾取されるような働き方では会社は継続できないということを労働者たちが気づかされたことが、労働者協同組合への転換を決めた理由だった。国内のバス会社では、非正規雇用労働者を増やし経営を維持する傾向が強まっているが、ウジン交通では働く仲間の権利が保障され、働いた分の対価(賃金)が正当に得られ、公正な分配構造、意思決定に参

キム・ジェスさん

加できる会社を自分たちで作っていこうと決めた。

ウジン交通の代表キム・ジェスさん。もとはウジン交通の労働組合が賃金不払い等を訴え長期ストライキを行った際に、全国民主労働組合総連盟地域支部から応援に駆けつけた。その後、労働者協同組合へと転換する際に、組織代表に選出された。

> 私たちは、会社を個人の私的所有ではなく「共同所有」できる労働者自主管理企業〔労働者協同組合〕を選択しました。会社の株式についても、株式の50%はストライキなどを支援してくれた人に預け、残り50%を労働者たちの共同所有とし、労働者全員の合意がなければ手をつけることができないよう規定しています。このような共同所有を「社会的所有」とし、構成員全員が会社の主権者であること、社会の構成員として企業を運営していく意思を強く意味付けました。（キム・ジェス代表）

ウジン交通の特徴は、「透明な経営体制」だ。毎月1回経営説明会を開き、収支に関するすべての情報を全労働者に公開する。情報を共有することで不正があれば公となりやすく、個々人が経営指標を理解することで社会的所有を実感できるしくみをつくった。

さらに「職務自治制度」を導入し、現場での日常業務に必要な決定事項を管理者による経営チームが決めるのではなく、現場労働者が代表となり議論し決定することとした。例えば、市内バスの配車時間の改善やバス運転手のトイレの使用に関すること等、労働者たちの声が反映されることでよりよいサービスを提供でき、労働者たちも働きやすい環境づくりができる。近年では、2020年から続く新型コロナウイルス感染症の拡大により市内バス利用者が大きく減少した。ウジン交通は大幅な収益の減少による賃金の未払い、バス運行資金の不足という事態に陥った。事業を維持・継続するためにどうするか、労働者全員参加の総会を開き、労働者の賃金30%削減を検討、決議した。国の支援制

ウジン交通のみなさん

度等も活用し、実際には労働者の賃金10%削減を実施し、新型コロナパンデミックによる経営危機を乗り越えている。難しい局面においても情報を全員で共有し、話し合うことを通して力を合わせることを大切にしている。

このように賃金等の労働条件も自分たちで決定する。特に重視していることは、正規雇用労働者として働くことである。ウジン交通は、業務上短時間労働となる数名を除き、すべての労働者が正規雇用労働者として働いている(労働者321人中311人が正規雇用)。また短時間でも、雇用保険などに加入できる無期契約の労働者であり、雇用の安定、労働権の保障は雇用形態に関わらず保証されている。そして、代表も現場労働者も同じ賃金基準で働く。

さらに、現場労働者の代表3名と代表、労組委員長2名が出席する「自主管理共同決定委員会」を設置し、賃金や懲戒処分、人事や新規採用について決定している。この委員会は、現場の労働者が役職者より多く参加することが決められており、代表は主に承認する任務を担い、権力の一方的な行使ができないしくみとなっている。

働く労働者が主権者、会社の所有者として平等な立場で事業の運営に参加することがあらゆる面において徹底されることで、問題が起きても知恵を出し合い、人任せにせず乗り越えることができるようになってきた。この新しい働きかたを地域に広げることでよりよいサービスを提供し、地域住民の暮らしを豊かにすることを目指している。

おわりに

社会的経済活動の魅力は、あらゆる分野で企業の枠組みを超えた人と人とのつながりを大切にしながら、地域に根差した仕事や働く場をつくることができることにある。韓国全体の経済規模からすれば、まだまだ規模は小さい。しかし、資本主義経済ではマイナスの評価をされがちな障がいや高齢、女性であることが、社会的経済ではポジティブな特性として認められる。また、特性を活かして、日常で気づいた地域課題解決のための小さなアイディアを人との関わり合いの中から仕事につなげることができる。疲弊した労働を自主的な活動を通して主体的な労働へと変化させること、毎日携わる仕事が地域の誰かの役に立っているという実感がもてる活動が社会的経済に携わる人々の活力となり、ネットワークを広げる原動力となっている。

社会的経済に関する活動は、法制度の整備や政府・地方自治体における支援体制を整えることで促進されてきた。そのため、公的なサポートへの依存が高いという課題も抱えている。これは政権交代等の政治的な影響を大きく受ける状況を意味する。この活動を一時的なブームで終わらせないために、社会的経済組織の一つひとつが自立した運営をすること、地域内での事業体同士の助け合いを強め、地域経済に貢献していくことがこれからの課題となっている。

ここまで、韓国の社会的経済活動のほんの一部を紹介してきた。みなさんに「働くこと」のイメージに少しでも変化があったとしたら……嬉しい変化である。韓国を訪れる機会があれば、ぜひ、街中で社会的経済組織やその商品を探してみてほしい。面白いものがきっとみつかるはず。

リーディングリスト

- **金明中『韓国における社会政策のあり方』旬報社、2021年**

朝鮮戦争以降の韓国における社会政策の変化が、政権ごとの特徴とともに紹介されている。

- **工藤律子『ルポ 雇用なしで生きる――スペイン発「もうひとつの生き方」への挑戦』岩波書店、2016年**

社会的経済の活動が盛んなスペインの事例が紹介されている。新しい働き方の参考に。

- **日本労働者協同組合連合会編『〈必要〉から始める仕事おこし――「協同労働」の可能性』岩波ブックレット No. 1059、2022年**

多様な背景をもつ人たちと一緒に働く場所をつくる日本の労働者協同組合（ワーカーズコープ）の取り組みを紹介している。働くことを考える参考に。

●김신양 외『한국 사회적경제의 역사: 이론의 모색과 경험의 성찰』2016（キム・シニャン他『韓国社会的経済の歴史——理論の模索と経験の省察』、未邦訳）

さまざまな市民活動や地域運動から始まった社会的経済の活動・運動の歴史が、社会的経済組織ごとに紹介されている。

●한국협동조합운동 100 사편찬위원회『한국 협동조합운동 100 년사 II 저항과 대안』가을의아침 2019（韓国協同組合運動 100 年史編纂委員会『韓国協同組合運動 100 年史 II　抵抗と代案』、未邦訳）

韓国の協同組合運動の歴史をまとめた 1 冊。地域運動・住民運動の歴史がまとめられている。

コラム　韓国との出会い・働く人たちとともに

最初に韓国に渡ったのは、2001 年の夏の終わり。まだ韓流ブームの前。当時、日本と韓国は「近くて遠い国」と言われていたが、本書にあるような歴史認識や慰安婦問題、在日コリアンへの差別等の長く続く両国間の葛藤を当時の私はあまりにも知らなかった。ただ友人たちが暮らしてきた国に住んでみたい、大学生活でやりたいことのひとつが海外で暮らしてみることだったこともあり、交換留学のチャンスを得て韓国に渡った。

韓国生活では日本との違いを感じることも多かったが、いまでも思い出すのが、大学の学費値上げに反対するために、夕方いろんな学部の学生たちが集まり行っていた「ろうそくデモ」。一方的な学校側の決定に納得いかない学生たちが反対の意思表示をするための行動だった。学生と大学との対話の場を要求していた。嫌なことには声を上げること、行動すること。それは当然の権利だと言いながら真剣に、しかしどこか楽しそうに参加していた友人たちの姿を忘れることができない。

私は就職氷河期世代にギリギリ入る世代だが、働くことについては身近な変化も感じていた。日本でも非正規雇用、ニート、社会的排除等の言葉が少しずつ認識され始めた頃、指導教官との会話の中で、貧困やワーキングプアは自己責任ではなく社会の構造的な問題ではないかという話を聞いた。

構造的な問題なら、努力しても、頑張ってもどうしようもないことがあるのかと絶望的な思いをしたことを覚えている。

再び韓国生活を始めた2008年からは、働くことをテーマに、その構造的な問題を何とか変えたいと活動する人たちとの交流を深めた。大企業の非正規労働者の整理解雇に反対する復職闘争、日韓の労働組合交流、インフォーマルなケア労働の実態調査、女性・労働の問題に関心がある人たちが集まるサークルへの参加……。いろんな形で声を上げる場面にも関わってきた。会社の利益を守るために誇りをもって働いてきた職場を突然追い出された人、女性だから年をとっているからと不当な扱いを受けながらも仕事を続けるしかない人、仕事を続けたいが子どもを保育園に預けるより仕事を辞める方が暮らしを守れると夢を諦める人……たくさんの人たちと出会い、働くことは生活の一部なのにこんなに大変なことばかりなのか、と考えることも多かった。

そんな中で韓国の自活事業や社会的経済の活動に興味をもった理由は、実際に事業をおこすこと、働くことを通して働く人たちが安心して働ける環境を自分たちでつくることができるしくみだったからだ。そして、それによって、誰かになんとかしてもらうより、同じ思いをもった人たちが集まれば、構造的な問題を乗り越えることができる！ と感じたからである。構造的な問題を変えることには時間がかかるが、働くことの新しい価値基準をつくりだせる取り組みに思えた。

補章

2022年大統領選挙以降の韓国

韓国社会の発展を妨げる南北分断

徐台教

「韓国を知ることと南北朝鮮の分断を知ることは必ずしもイコールではないものの、後者を知らずに前者を“深く”知ることはできない」。筆者が韓国で約20年の間、はじめはNGOでの人権活動家として、のちに記者として朝鮮半島問題を眺め続けてきたうえでたどり着いた結論である。この場を借りて、南北分断がもたらす悪影響が韓国社会を根元から浸食し続けているという話をしてみたい。

2020年、『あなたの不幸は当たり前ではありません』という本が韓国で数万部売れ、話題となった。書籍(単行本)の市場規模が日本の1割程度と小さい韓国では、大ヒットといえる数字だ。著者はドイツのノーベル賞文学者ギュンター・グラスの研究者で、東西ドイツ統一に知識人が果たした役割などドイツ現代史に明るい金(キム)ヌリ中央(チュンアン)大教授(62)だ。韓国社会民主主義の第一人者金哲(キムチョル)の息子でもある同氏が「なぜ韓国人は不幸なのか」というテーマで行った人気番組での講義をまとめたものだ。金教授は同書の中で、韓国市民みずからが「ヘル朝鮮(チョソン)」と呼ぶ根拠である不平等・格差拡大や教育・受験地獄、そして無限に続く競争といった韓国の社会問題が改善されない理由について、「韓国の二大政党が共に弱肉強食を野放しにする「野獣資本主義」を否定しないため」と説き、一方で「ドイツで広く共有される社会民主主義的な視点が韓国には存在しない」と指摘した。

少し説明すると、この二大政党とは22年5月10日の尹錫悦(ユンソンニョル)新大統領の就任に合わせ与党となった「国民の力」と、入れ替わりで野党に転落した旧与党の「共に民主党」を指す。両党合わせて全議席の95%近くを占め、過去30年、6度の大統領選挙で3人ずつ大統領を輩出するなど、文字通り権力を分け合っている存在だ。このため「巨大両党」とも呼ばれる。ちなみに日本メディアが「保革対立」と書く場合には、この両党の対立構造を指す。

金教授の主張は、いわば「ヘル朝鮮」はどちらか片方の政党ではなく、両党によってもたらされているというものだ。引用を続けよう。金教授は「韓国で広く信じられている「保守派」対「進歩派」の対立はまやかしである」と強調する。これはつまり、一般的に「進歩(革新)派」の看板を掲げる「共に民主党」は決して社会の平等を志向する左派政党ではなく、「保守派」を自認する「国民の力」も共同体や文化を大切にする右派政党ではないというものだ。

金教授によると、ドイツと比較する場合に穏健な(消極的な)改革を主張する「共に民主党」こそが「保守派」のポジションに分類される。一方、「保守派」と呼ばれる「国民の力」は「守旧勢力」と呼ぶのがふさわしいとする。守旧勢力とは耳慣れない言葉だが、韓国では一般的に右派と区別して使われる。本来大切にする価値を守るために緩やかに変化を受け入れる右派とは対象的に、自らの権力を守るために変化を拒否する勢力を指すものだ。経済的・社会的な平等という価値観が実現する社会への反動勢力と言い換えることができる。韓国ではエリート主義、権威主義という言葉でも表現できる。つまり、金教授の主張は「韓国の二大政党は共に右派である」と整理できる。

韓国のメディアは毎日、進歩と保守という言葉を何百回も繰り返している。これにより韓国の市民たちの多くは、韓国社会では社会の進歩に積極的な一団(進歩)と、それを防ぐ一団(保守)の争いが続いているかのような錯覚に陥る。

だが現実はそうではない。実例を挙げてみよう。22年3月の大統領選挙での進歩派の李在明(イジェミョン)候補と保守派の尹錫悦候補の公約の間に大きな差はなかった。経済面では特に顕著で、高騰する不動産価格への対策として李候補は300万戸の住宅提供を公約する一方、尹候補は250万戸を約束するなどバラマキ体質が共通していた。韓国では既に二大政党の経済政策における区別がつかなくなって久しい。そのかたわらで、あらゆる属性のマイノリティへの差別を禁止する「差別禁止法」は支持基盤である保守キリスト教勢力の離脱を恐れる巨大両党の反対のため10年以上も国会に係留されたまま成立せず、世界で最も高い労働災害死亡率を下げ労働者を守るための「重大災害企業処罰法」も、「経済活動への影響」を主張する両党により骨抜きになっている。

つまり、韓国の政治勢力としての「保守」も「進歩」も単なる陣営の呼称に過ぎないのだ。この視点は韓国の市民にとってはもちろん、「韓国は保革対立の社会」と幾多の報道によりすり込まれてきた日本の市民にとっても重大な意識の転換を迫るものだ。この構図のため、ヘル朝鮮の問題の解決は先延ばしになり続け、韓国は生きづらい社会であり続けている。青少年の自殺率や出生率が世界ワースト１であることには理由がある。

それではこのような「まやかし」、つまり韓国社会であたかも左右の政党が争っているような状況が成り立つ理由はどこにあるのだろうか？

金教授は「朝鮮民主主義人民共和国〔以下、北朝鮮〕と韓国との分断状況こそが、このまやかしの原点にある」と喝破する。前述したようにもはや区別がつかない韓国の「保守派」と「進歩派」であるが、唯一北朝鮮に対する姿勢だけは明確に異なる。保守は「反共」を中心に据えた北朝鮮との対決姿勢を維持し続け、進歩は平和統一よりもまず南北の平和な共存共栄を目指し宥和的な姿勢を掲げている。二大政党はこの部分によって「のみ」差別化され、ただひたすらこの狭い部分での差を強調することによって互いを「保守」「進歩」と定義し、政治上の争いを演じているだけに過ぎないとぶち上げたのだった。

再び現実に目を向けると、22年5月に発足した尹錫悦新政権は北朝鮮との屈従的な関係を正常化させると明かし、「平和を乞わない」「宥和政策を行う時代は過ぎた」と、制裁により北朝鮮を屈服させる姿勢を強調している。これは文在寅（ムンジェイン）前政権時代の朝鮮半島の平和状況の実現に向けた積極的な姿勢とは180度の転換となり、有権者にとっては最も分かりやすい両党の差異となって迫ってくる。

ここまで見てきたように、韓国社会を良くするためにはどうすればよいのか、という問いに対する金教授の視線は、回り回って南北分断を韓国社会の発展を妨げる要因として再発見する知見を私たちにもたらしてくれる。だがこれは余りにも大きな話であり、韓国に住む人にも理解が難しい部分がある。金教授の視点をもう少し正確に理解するためには、南北分断が韓国社会に及ぼしてきた歴史を紐解く必要がある。

1945年8月15日、日本の敗戦と同時に朝鮮半島は米ソにより38度線で南北に分断された。北側にはソ連軍が、南側には米軍が進駐し軍政を敷いた。この時、朝鮮半島では知識人や民衆の間に「どんな国を作るのか」という議論が沸騰した。約500年続いた朝鮮王朝は大韓帝国へと姿を変えた後で植民地となり、日本帝国主義の利益のために存在する存在でしかなかった。もはや「保守すべき伝統」などなかった。

完全にフラットな状態からの再スタートとなった朝鮮半島では、自由民主主義や共産主義といった思想が入り乱れ、ここに民族主義や国際主義が加わり複雑な構図が形成され、それぞれが互いの理想を追求した。新たな国の建国を目指す「解放空間（ヘバンコンガン）」と呼ばれる理想と挫折の3年間を経てついに、1948年に南北でまったく異なる体制をもつ政府が樹立するに至る。

この過程で韓国(南側)では急速に共産主義化する北側から逃れてきた者たちにより強硬な反共右派集団が形成され、植民地時代に権力を日本と分け合ってきた「親日派」と共に、初代大統領となる李承晩（イスンマン）を支える大勢力となった。米国で学び自身も強い反共思想をもつに至った李承晩もまた韓国政府樹立過程で、「反共」を理由に反対派を弾圧する政治を本格化させる。ここに多くの死者を出した「済州（チェジュ）4.3事件」や「麗水（ヨス）・順天（スンチョン）反乱事件」などが位置づけられる。

韓国における反共を決定的にしたのが、1950年から3年間続いた朝鮮戦争だった。北朝鮮の人民軍による直接の被害と共に、韓国政府や市民による虐殺も起こり、文字通り社会が大きなトラウマを背負った。その後、李承晩政権が倒れたが、61年の朴正熙（パクチョンヒ）によるクーデター、そして79年の全斗煥（チョンドゥファン）によるクーデターのいずれも、北朝鮮による脅威が正当化の理由の先頭に掲げられた。北側でもまた、金日成（キムイルソン）の独裁権力の強化に韓国や米国の脅威が使われてきた。90年代に「分断体制の主要な葛藤は、南と北のイデオロギー的、政治的対立ではなく「南北にまたがる分断体制の既得権勢力と、南北の大多数の住民との利害関係の対立」である」と喝破した白楽晴（ペクナクチョン）ソウル大教授の『分断体制論』はこの問題を指摘したものだ。

李承晩が48年に制定した国家保安法はそんな軍事独裁政権に恣意的に運用され、民主化を求める動きはすべて反共の名の下に「パルゲンイ(アカ)」と弾圧されてきた。87年の民主化後、いまなおこの傾向は維持されている。国家保安法もそのまま維持されており、社会的な平等を求める動きを北朝鮮と結びつけ思想的なレッテル貼りを行う余地は多分に残されている。これは分断の中で染みついたクセとも言える。

再び2022年に時を戻そう。それでは金教授の主張は韓国にとってどんな意味があり、どう受け止められてきたか。5月、大学の研究所を訪ねた私に金教授は任期5年の間、この「まやかし」を直視せず変えようとしなかった文政権を強く批判した。「「共に民主党」が保守であることを認めたならば、これまで保守とされていた「国民の力」がより右に追いやられ、ぽっかり空いた進歩の空間に真の左派政党が根付くことができたのに」という悔いだ。

この原稿を書いているいま、韓国では統一地方選挙が行われている。韓国メディアは「保守と進歩のたたかい」をこれでもかと強調し、両党自身も、そして有権者もまたこの構図を疑っていない。他方、ロシアによるウクライナ侵攻に端を発する東アジアでの新冷戦構造は、尹錫悦政権の発足で急速に整いつつある。

東アジアが日米韓と中朝露に分かれ衝突しようとする環境の下で、保守・進歩陣営が演じる「韓国のまやかし」はこれからも当分の間つづくだろう。その分だけ、韓国社会のあり方を根本から問い直す金教授の問題提起に耳を傾ける人が増えていくことは間違いない。

「嫌悪の政治」が見えなくしているもの

曺美樹

2022年3月9日に行われた韓国大統領選。野党(選挙当時)「国民の力」の尹錫悦候補は48.56%の得票で当選、与党「共に民主党」の李在明候補は47.83%で敗れ、わずか0.73ポイントの僅差で5年ぶりの政権交代となった。二大政党の候補はいずれも国会議員の経験のない国政初心者であったが、両者が全投票数のほぼ半数ずつを食い合うという結果になった。選挙戦の過程で「歴代最も好感度の低い大統領選」と繰り返し揶揄されたのがこの選挙の特徴だった。両候補の接戦は、何を意味するのか。

コロナ禍、不動産価格高騰、南北関係や対米、対中、対日関係などの東アジア情勢、気候変動など、国内外の重大イシューを舵取りしなければならない重要な時代の大統領選だったが、候補たちからは大きなビジョンや目を引くマニフェストが見えてこなかった。スキャンダルや揚げ足取りの攻防ばかりがニュースを飾り、うんざりするムードの漂う中、選挙戦は「どの層の票をより多く摑むか」を競うポピュリズム政治の様相を呈した。

この大統領選を象徴するものとして、「嫌悪の政治」という言葉が頻繁に言及された。ある集団に対する嫌悪感情に乗じ、その集団を排除する言動を示すことで、一定の人々に充足感を与え、支持を獲得する形だ。それがもっとも露骨に表れたのがジェンダー分裂を煽る言動だった。

「共に民主党」への支持が顕著に低い20代男性を取り込むために、「国民の力」は36歳の若手の党首である李俊錫を筆頭に、アンチフェミニズムを漂わせる政策を公然と掲げた。尹錫悦候補が自身のフェイスブックに「女性家族部廃止」といった短い言葉のみを投稿しインパクトを狙ったのは、象徴的な事件といえる。非公正さに敏感な若い世代、特に男性層に向けて、「女性を優遇しない」というメッセージを送ったのだ。そこに構造的なジェンダー差別があるということは無視され、あるいは公に否定された。

このような若い男性層を取り込もうとする言動は、保守野党だけでなく与党側でも現れた。李在明候補は選挙戦序盤、ネットの掲示板に上がった「フェミニズムとは距離を置くべき」という趣旨の書き込みを自身のフェイスブックにシェアしたり、あるYouTubeチャンネルの出演を突如キャンセルするなど(李在明陣営は「フェミ放送に出演するな」という抗議を受けたため出演を撤回すると理由を述べた)、アンチフェミニズム層の支持獲得を狙う態度を見せた。だが、これには有権者だけでなく党内部からも強い批判が起き、李在明候補及び民主党は選挙戦後半から方向を転換するようになった。

2022年1月末、李在明陣営は選挙対策委員会の女性委員会副委員長に、26歳の女性である朴志玹(パクチヒョン)を抜擢した。選挙活動を通じて、彼女がデジタル性犯罪「n番部屋事件」を追及し世に明かした匿名の活動家の一人であることが初めて明らかになった。嫌悪の政治に真っ向から対抗した朴志玹は、大統領選後、「共に民主党」の実質代表といえる共同非常対策委員長に就任した。

投票直前まで「尹錫悦の当選は阻止したいが、李在明も支持できない」と悩み抜いていた沈黙の浮動層である若い女性たちが、選挙終盤で一気に動いた。開票の結果、20代男性の58.7%が尹錫悦候補に投票した一方、20代女性の58.0%が李在明候補に票を投じたことが明らかになった。終盤まで劣勢が色濃かった李在明候補が、敗北はしたものの予想外の僅差まで追い上げたことにおいて、20代女性の票の存在は無視できない。中には、一貫してジェンダー差別撤廃を掲げてきた進歩派野党「正義党」の沈相奵(シムサンジョン)候補を支持しつつも、最後の最後に断腸の思いで李在明候補に投票した人たちもいる。

選挙直後には「共に民主党」への入党が激増した。新たな入党員は女性が8割で、20〜30代女性が過半数だという。入党理由に関するアンケート調査によると、大統領選での投票で終わるのではなく、民主党がジェンダー政策などで役割を果たすよう党員として声をあげていくためという理由をあげた人が多かった。

大統領選で20〜30代女性の結集がこれほど注目されたのは初めてだといわれるが、実際は5年前の大統領選も今回も、20〜30代の女性の投票率は男性よりもおしなべて4〜8ポイント高い。ただ、これまでの選挙で集票の対象としてみなされず、さらに今回は排除の対象となった若い女性層が、支持すべき党を真剣に悩み、ついには党を動かす行動に出たという点で注目に値する。ただし、「共に民主党」は政権与党であった時期に起きた党の要人による性暴力事件をきちんと糾明しておらず、ジェンダー差別に対する態度をはっきりさせていない。そのため、民主党に対して、依然としてノーを突き付ける人も少なくない。

今回の大統領選で嫌悪の政治が表出したのは、ジェンダー問題だけではない。例えば「嫌中感情」を煽る言動だ。尹錫悦候補は1月末、唐突に在住外国人の健康保険問題を取り上げ、特に中国人が不正登録で必要以上の恩恵を受けているとし、国民の保険料に便乗して「ただ食い」しているという表現を用いた。これに対して李在明候補は、外国人への嫌悪助長だと批判した。ところが、翌2月に開かれた北京五輪のスケート・ショートトラックで韓国選手が失格判定を受け、国内で反中世論が沸騰すると、両候補は競うように中国バッシングを繰り広げた。中国が強く反発しているTHAAD(高高度防衛ミサイルシステム)の増設に言及したり(尹錫悦)、中国漁船の領海侵犯に対して「撃沈する」と発言する(李在明)など、外交問題に関わることまで攻撃的な表現を使った。中国政府を嫌い、文在寅(ムンジェイン)前政権の弱腰な対中外交に批判的な保守層だけでなく、移住労働者や留学生をはじめとする中国人全般への差別・嫌悪感情を抱く若い層にもすり寄るような、強気の態度だった。ところが、このケースでは、嫌悪の対象となったのが投票権のない外国人だったためか、ジェンダー対立のケースのような大きな反発のうねりにはなり得なかった。

ジェンダー問題に関しても、一歩進んで覗き込めば、対立の構造は複雑さを増す。20〜30代女性も一枚岩ではなく、フェミニズムに対する考え方もさまざまだ。時事問題雑誌『時事IN』の調査によると、自分をフェミニストだと思う人の割合は、成人世代のうち20代女性では42%と圧倒的に高いが、その他の世代では男女ともにフェミニストを称することへの抵抗感が強いと示された。20代女性がフェミニストを自覚したきっかけとして、性暴力や性犯罪に対する危機感が最も多く挙げられた。それだけに、この層は性差別に対する感受性が非常に高く、性差別問題に無頓着であったり意識の低い人に対する反感も激しい。ますます鋭くなる対立構造の中では、反目しあう立場のあいだで最低限の対話の余地もほとんどないほど、溝が深まっている。

女性、性的マイノリティ、移住労働者、難民、障がい者……。絶えず嫌悪の対象が浮上する現在の韓国社会で、少数者とはだれなのか、差別とは何なのかについて、幾層にも重ねていく深い議論が切実に求められている。大統領選を通して浮き彫りになった「嫌悪の政治」への省察なしには、社会の対立はますます深まるばかりだ。

そんな中、包括的な差別に反対する市民の声は、「差別禁止法」制定を求める運動に収斂されていった。2007年、憲法上の平等権を実現する基本法として立法案が示された差別禁止法は、強い反対勢力に押され、見送りとなった。その背景には、同性愛者やイスラム教徒の権利に激しく反対する保守キリスト教勢力の政治圧力がある。それでも差別禁止法制定に向けた市民の運動は粘り強く続けられ、度重なる法案発議と賛成世論の形成が繰り広げられてきた。2021年6月には法制定を求める国民請願に10万人の署名が集まり、今回の大統領選の敗北後、「共に民主党」は最大野党として差別禁止法制定を進めることを約束したが、またしても所管の委員会で一度も審議されることなく、期限のみ延長された。業を煮やした市民の運動連帯は、尹錫悦政権が発足するひと月前の2022年4月11日から国会前で座り込みを行い、人権活動家2人がハンガーストライキに突入した。健康上の懸念からドクターストップがかかるまでの46日間、ハンストは続いた。その間、座り込みテントには性的マイノリティ活動家、外国人移住労働者とその家族、車いす使用者など、多様な人たちが訪れて座り込みに参加した。一方、テントの周りでは差別禁止法「反対」を唱える人が個別に横断幕を張り、ハンドマイクの音量を最大限にあげ、人権侵害をものともしない発言を繰り返すという風景が展開された。

差別禁止法制定への動きは、#MeTooとともに湧き上がった昨今のフェミニズム運動のように大きなうねりとなっているとは、まだ言えないかもしれない。しかし、一つひとつの差別反対の運動が小川が集まるように合流し、一つの流れを作りつつある。この動きが、韓国で台頭する嫌悪の政治に歯止めをかける静かな地鳴りとなるか、今後も注目したい。

【執筆者】

青木義幸(あおき・よしゆき)　1章＋keyword ①
1981年，兵庫県生まれ．地域研究(韓国)，社会運動論．東京大学大学院総合文化研究科博士課程単位取得退学．獨協大学非常勤講師．2013～14年(韓国学中央研究院)，2015～17年(在韓国日本大使館)に韓国滞在．「1980年代韓国学生運動に加えられた隠れた抑圧」(『アジア地域文化研究』14，2018年)，*Identity and Movements* (共著，East Asian Academy For New Liberal Arts，2021年)など．翻訳に「在日，三つの祖国，三つの時代」(韓国語，文京洙著，『実践文学』119号，2015年)など．

上山由里香(うえやま・ゆりか)　4章
1980年，福井県生まれ．韓国近現代史．文学博士(成均館大学校)．成均館大学校東アジア学術院客員研究員．1児の母．2008年から17年まで韓国在住．『新しい東アジアの近現代史[上]・[下]』(共訳，日中韓3国共同歴史編纂委員会編，日本評論社，2012年)，「植民地期朝鮮人の日本留学と韓国史学習――李丙燾の早稲田大学留学期(1915～1919)の経験を一例に」(韓国語，『史林』56，首善史学会，2016年)など．

植田喜兵成智(うえだ・きへいなりちか)　5章
1986年，東京都生まれ．朝鮮古代史，東アジア史．博士(文学)(早稲田大学)．早稲田大学文学部講師．2015～17年にソウル大学校に滞在．『新羅・唐関係と百済・高句麗遺民――古代東アジア国際関係の変化と再編』(山川出版社，2022年)，『境界を越える高句麗・渤海史研究』(韓国語，共著，図書出版ヘアン，2020年)，『高句麗・渤海史の射程――古代東北アジア史研究の新動向』(共著，汲古書院，2022年)など．

相川拓也(あいかわ・たくや)　6章
1987年，甲府生まれ．朝鮮近代文学．博士(学術)(東京大学)．専修大学ほか非常勤講師．2015～17年，成均館大学校大学院に留学．『朴泰遠を読む――「植民地で生きること」と朝鮮の近代経験』(風響社，2021年)，『韓国文学を旅する60章』(共著，明石書店，2020年)，『韓国近代文学と東アジア1 日本』(韓国語，共著，ソミョン出版，2017年)など．

佐々紘子(ささ・ひろこ)　7章

1977年, 埼玉県出身. 日韓対照言語学, 社会言語学. 言語学博士(韓国外国語大学校). サイバー韓国外国語大学助教授. 梨花女子大学校通訳翻訳大学院非常勤講師. 2002年から現在まで韓国在住. 共著論文に「漫画『スラムダンク』の原文と翻訳に見られる日本語と韓国語の対遇表現の違い」(『日本研究』98号, 2023年)など.

朝比奈祐揮(あさひな・ゆうき)　8章＋keyword ④

1990年, 伊豆生まれ. 社会的不平等, 日韓の比較社会学. 社会学博士(ハワイ大学マノア校). 韓国外国語大学校国際地域大学院助教授. 2017〜18年に韓国でフィールドワーク, 2020年から現職. 最近の主な論文は *Sociology, Politics & Society, Journal of Contemporary Asia* などの雑誌に掲載.

友岡有希(ともおか・ゆき)　9章＋keyword ④

1982年, 福岡県生まれ. 梨花女子大学校大学院経営学博士課程単位取得退学. 労働者協同組合(ワーカーズコープ)連合会・センター事業団. 2001年に仁荷大学校に留学後, 韓国の労働問題や社会保障制度の研究を始める. 2008〜15年に韓国在住. 翻訳に『塩花の木』(共訳, 耕文社, 2013年). 『文化連情報』(日本文化厚生農業協同組合連合会)にて韓国の社会的経済の取り組みを連載中.

徐台教(ソ・テギョ)　補章

1978年, 群馬県生まれの在日コリアン3世. ジャーナリスト. 高麗大学校東洋史学科卒. 1999年から現在まで20余年韓国に住み, 人権NGOや日本メディアの記者として朝鮮半島問題に関わる. 2015年, 韓国に「永住帰国」し独立. 現在はウェブニュース「コリア・フォーカス」編集長. 他にYahoo!エキスパートニュースでも記事を配信している.

曺美樹(チョウ・ミス)　補章

1976年, 東京都生まれの在日コリアン3世. 聖公会大学校大学院アジアNGO学修士課程修了. 日本で国際交流NGOのスタッフとして従事後, 2014年より韓国在住. 日韓の市民社会活動をつなぐ交流のコーディネートや通訳, 平和教育に関する活動に携わる. 現在は, 韓国のニュース翻訳, 韓国KBS World Radio日本語放送のパーソナリティーとして活動.

緒方義広　はじめに＋2章＋keyword②

1976年，神奈川県生まれ．国際政治，日韓関係．政治学博士(延世大学校)．福岡大学人文学部東アジア地域言語学科准教授．2022年まで約19年間韓国在住，在韓国日本大使館，弘益大学校などに勤務．韓国KBS World Radio日本語放送「とっておき韓国ノート」出演中．主な論著に「憲法裁はなぜ「ろうそく民心」にしたがったのか――韓国の民主主義と憲法秩序」(『世界』2017年5月号)，『韓国という鏡――新しい日韓関係の座標軸を求めて』(高文研，2023年)など．

古橋 綾　はじめに＋3章＋keyword③

1984年，愛知県生まれ．社会学．社会学博士(韓国・中央大学校)．岩手大学教育学部社会科教育科准教授．2005年と2010〜18年に韓国在住．『ジェンダー分析で学ぶ 女性史入門』(共著，総合女性史学会編，岩波書店，2021年)など，翻訳に『歴史否定とポスト真実の時代――日韓「合作」の「反日種族主義」現象』(康誠賢著，大月書店，2020年)，『道一つ越えたら崖っぷち――性売買という搾取と暴力から生きのびた性売買経験当事者の手記』(ポムナル著，アジュマブックス，2022年)など．

韓国学ハンマダン

2022年11月29日　第1刷発行
2024年 4 月15日　第2刷発行

編　者　緒方義広(おがたよしひろ)　古橋 綾(ふるはし あや)

発行者　坂本政謙

発行所　株式会社 岩波書店
〒101-8002 東京都千代田区一ツ橋2-5-5
電話案内 03-5210-4000
https://www.iwanami.co.jp/

印刷・三秀舎　製本・牧製本

ISBN 978-4-00-061569-3　Printed in Japan